GARE AUX FANTÔMES

M.C. BEATON

Agatha Raisin ENQUÊTE

GARE
AUX FANTÔMES

roman

Traduit de l'anglais
par Clarisse Laurent

ALBIN MICHEL

Ce livre est un ouvrage de fiction. Les noms, les personnages et les événements relatés sont le fruit de l'imagination de l'auteur ou sont utilisés à des fins de fiction.

Pour Edwina Mori, avec affection

La fièvre aphteuse s'était abattue sur toute la région. Des mesures de restriction limitaient l'accès aux petits chemins et les portails des fermes étaient cadenassés. Le printemps était humide et froid, les corolles dorées des premières jonquilles se courbaient piteusement sous des torrents de pluie.

Le toit de chaume du cottage d'Agatha ruisselait tristement. Assise à même le sol de sa cuisine en compagnie de ses deux chats, elle se demandait par quel moyen combattre ce sentiment familier d'ennui qui la gagnait peu à peu. Et l'ennui, elle ne le savait que trop bien, ouvrait la voie à la dépression nerveuse.

Un nouveau voisin, qui ne semblait pas inintéressant, venait de s'installer dans le cottage d'à côté, naguère propriété de son ex-mari James, mais Agatha n'éprouvait plus la moindre étincelle d'intérêt pour la gent masculine. Elle ne s'était pas jointe à la procession de dames du village qui venaient présenter leurs offrandes de gâteaux et de confitures maison. D'ailleurs, elle ignorait tout des derniers cancans locaux, car elle arrivait tout juste de Londres, où elle avait participé, comme chargée de communication, au lancement d'une ligne de prêt-à-porter pour les jeunes, baptisée Mr Harry. Tout ce qu'elle y avait récolté, c'était l'impression d'avoir fait son temps, elle qui était bien engagée dans la cinquantaine. Devant quelques-uns des mannequins étiques – le style *héroïne chic* était encore à la mode –, elle s'était sentie grosse et vieille. Par-dessus le marché, elle avait mauvaise conscience, car elle savait que les coutures de ces vêtements, fabriqués à Taïwan avec des étoffes de piètre qualité, n'allaient pas tenir longtemps.

Elle se remit debout, monta dans sa chambre et se planta devant sa psyché. Une femme trapue avec de jolies jambes et une soyeuse chevelure châtain la scruta de ses petits yeux d'ourse.

« Secoue-toi ! » s'exhorta-t-elle.

Elle décida de se maquiller et d'aller rendre visite à son amie, Mrs Bloxby, la femme du pasteur, histoire de faire le point sur les potins du village et de rattraper son retard. Tout en appliquant une couche de fond de teint clair, Agatha songea que, peu de temps auparavant, le bronzage faisait fureur. Mais maintenant que le premier venu pouvait s'offrir des vacances à l'étranger en plein hiver, cela ne valait plus la peine d'arborer une mine hâlée ou même un maquillage cuivré. Elle tirailla nerveusement la peau sous son menton : commençait-elle à se relâcher ? Les soixante petites tapes qu'elle se donna ne produisirent dans l'immédiat que des rougeurs sur son cou, ce qui la contraria.

Elle se débarrassa du vieux pantalon et du chandail qu'elle avait enfilés le matin et les remplaça par une blouse de soie dorée et un ensemble de lin beige. Ce soudain désir d'élégance n'avait strictement aucun lien avec le nouveau locataire du cottage voisin, bien sûr. Certes, comme on le dit toujours, le temps guérit les blessures. Elle avait d'ailleurs presque cessé de penser à James et avait renoncé à tout espoir de le revoir.

Elle redescendit, et équipée de son imperméable – un Burberry – et d'un grand parapluie, elle s'aventura sous la pluie battante. Qu'est-ce qui lui avait donc pris de mettre des souliers à talons hauts ? se demanda-t-elle en contournant les flaques de Lilac Lane pour se diriger vers le presbytère.

Mrs Bloxby, une femme grisonnante au visage doux et avenant, lui ouvrit la porte.

« Mrs Raisin ! s'écria-t-elle. Quand êtes-vous rentrée ?

– Hier soir », dit Agatha, songeant qu'elle avait un peu perdu à Londres l'habitude de s'entendre appeler par son nom de famille. Mais les dames de la société féminine du village dont elle faisait partie s'adressaient toujours les unes aux autres avec une courtoisie cérémonieuse.

« Entrez vite. Quel temps affreux ! Et cette épidémie de fièvre aphteuse est terrifiante. On a recommandé aux randonneurs de ne pas se promener, mais ils n'écoutent rien. À mon avis, ce n'est même pas certain que tous aiment la campagne.

– Il y a des cas de fièvre aphteuse dans les environs ? demanda Agatha en ôtant son imperméable pour le suspendre à une patère dans le vestibule.

– Non, rien près de Carsely... pour l'instant. »

Mrs Bloxby entraîna sa visiteuse au salon. Agatha se laissa tomber parmi les coussins moelleux du vieux sofa, retira ses chaussures et tendit ses pieds et ses bas trempés vers les flammes.

« Je vous prêterai une paire de bottes pour rentrer, promit Mrs Bloxby. Je vais nous faire un peu de café. »

Agatha s'adossa confortablement et ferma les yeux tandis que Mrs Bloxby s'affairait dans la cuisine. Comme c'était bon d'être de retour !

Mrs Bloxby revint avec deux tasses de café sur un plateau.

« Et qu'est-ce qu'on raconte dans le village ? dit Agatha.

– Euh... James est passé après votre départ. »

Agatha se redressa brusquement.

« Où est-il maintenant ?

– Je n'en ai pas la moindre idée. Il n'est resté qu'un après-midi. Il a dit qu'il voyageait à l'étranger.

– Oh zut ! soupira d'un air sombre Agatha, sou-

12

dain balayée par une vague de chagrin. Vous lui avez dit où j'étais ?

– Oui, répondit gauchement la femme du pasteur. Je lui ai indiqué où vous étiez descendue à Londres et je lui ai donné votre numéro de téléphone.

– Il ne m'a pas appelée, constata Agatha avec tristesse.

– Il semblait très pressé. Il vous embrasse.

– Quelle blague, fit amèrement Agatha.

– Allons, buvez votre café. C'est un peu tôt, je sais, mais vous préféreriez peut-être quelque chose de plus fort ?

– Ah non, je ne vais pas commencer comme ça, surtout pour un minable comme James !

– Vous avez fait connaissance avec votre nouveau voisin ?

– Non, je l'ai aperçu de loin quand il a emménagé, puis on m'a offert cette mission dans la communication et je suis partie pour Londres. Comment est-il ?

– Il paraît sympathique et intelligent.

– Que fait-il dans la vie ?

– Il s'occupe d'informatique. En indépendant, lui aussi. Il vient d'en finir avec un gros contrat et il dit qu'il est bien content. Il faisait l'aller-retour jusqu'à Milton Keynes tous les jours.

– Pas tout près, effectivement. Aucun meurtre ?

– Non, Mrs Raisin, et à mon avis, vous avez eu votre dose. Mais il y a quand même un petit mystère. Il n'y a pas longtemps, on a demandé à mon mari Alf de pratiquer un exorcisme, mais il a refusé. Il dit qu'il ne croit qu'au Saint-Esprit, pas aux esprits malins.

— Et il est où, ce fantôme ?

— À Hebberdon, vous savez, ce hameau minuscule après Ancombe, chez une vieille dame, une certaine Mrs Witherspoon. Une veuve. Elle a entendu des voix bizarres et vu des lumières la nuit. Alf pense que ce sont les enfants du village qui lui font des niches et lui a suggéré d'appeler la police. C'est ce qu'elle a fait, mais ils n'ont rien trouvé. Toutefois, Mrs Witherspoon maintient que sa maison est hantée. Ça vous dirait, une petite enquête ?

— Non, trancha Agatha après un instant de silence. Alf a sans doute raison. Et vous savez, telle que vous me voyez, là sur votre canapé, j'ai décidé de cesser de courir en tous sens pour combler le vide. Il est temps que j'en finisse avec tout ça. Je vais devenir une parfaite femme d'intérieur. »

Mrs Bloxby la considéra d'un air inquiet.

« Vous, une femme d'intérieur ? Vous croyez que c'est une bonne idée ?

— Le jardin est envahi de mauvaises herbes et cette pluie ne va pas durer éternellement. Je vais bricoler par-ci, par-là et faire un peu de jardinage.

— Vous en aurez vite par-dessus la tête.

— Vous me connaissez mal, répliqua Agatha d'un ton piqué.

– Peut-être bien. À quand exactement remonte cette résolution ? »

Agatha grimaça un sourire. « À il y a cinq minutes. » Son orgueil irrépressible l'empêchait d'avouer que la visite de James et le fait qu'il n'ait pas tenté de la joindre l'avaient profondément blessée.

Tandis que le printemps ruisselant évoluait enfin vers un temps plus clément, il sembla en effet qu'Agatha Raisin s'était muée en ménagère accomplie. Lasse de la négligence de ses précédents jardiniers, elle décida de les remplacer elle-même, ce qui, comme elle le découvrit, atténuait la souffrance qu'elle continuait d'éprouver lorsqu'elle songeait à James. D'après les dames du village, son voisin, Paul Chatterton, était un homme charmant, mais fort peu sociable, ce qui piqua un instant son esprit de compétition. Puis elle pensa avec mélancolie que les hommes ne vous attiraient que des chagrins et des ennuis. Mieux valait les éviter.

Par une journée ensoleillée, elle était allongée dans un transat, soigneusement enduite de crème solaire, ses deux chats, Hodge et Boswell, à ses pieds, lorsqu'un « bonjour » hésitant se fit entendre. Agatha ouvrit les yeux. Son voisin était accoudé à la barrière. Une masse de cheveux blancs comme neige couronnait son visage mince, où des yeux noirs pétillaient d'intelligence.

« Oui ? répondit Agatha sans aménité.

– Je suis votre nouveau voisin, Paul Chatterton.

– Et alors ? Qu'est-ce que vous voulez ? demanda Agatha, refermant les paupières.

– Juste dire bonjour.

– Eh bien, c'est fait, trancha Agatha en rouvrant les yeux et lui décochant un regard torve. Et si vous essayiez "au revoir", maintenant ? »

Elle referma les yeux, suffisamment longtemps à son avis pour qu'il ait tout le temps d'apprécier la rebuffade à sa juste valeur. Puis les rouvrit prudemment. Il était toujours là, un sourire amusé aux lèvres.

« Je dois avouer que c'est un changement rafraîchissant, dit-il. Les dames du village m'assiègent depuis mon arrivée et maintenant que je consens à me montrer sociable, il faut que je tombe sur la seule personne qui ne veut pas faire ma connaissance.

– Allez casser les pieds à quelqu'un d'autre, grogna Agatha. Pourquoi moi ?

– Parce que vous êtes juste à côté. Et il paraît que vous êtes le limier du village.

– Qu'est-ce que ça vient faire là-dedans ?

– J'ai lu dans le journal local qu'une vieille dame à Hebberdon est complètement terrorisée par des revenants. Je vais de ce pas lui offrir mes services de chasseur de spectres. »

L'esprit de compétition qui somnolait chez Agatha se réveilla d'un seul coup. Elle se redressa.

« Faites le tour, je vais vous ouvrir et nous en discuterons.

– À tout de suite », fit-il en agitant la main, et il disparut.

Agatha tenta de se remettre sur ses pieds – les transats en toile à l'ancienne comme ceux de Green Park à Londres semblaient décidément conçus pour vous donner l'impression d'être lamentablement vieux. Impossible de s'en extraire. Elle dut faire chavirer son fauteuil et se laisser rouler sur la pelouse pour pouvoir se relever.

« Toi, tu es bon pour le feu, et dès demain, je te remplace par une vraie chaise longue ! » s'exclamat-elle en le gratifiant au passage d'un coup de pied furibond.

Elle se hâta de regagner la maison et s'arrêta dans la cuisine juste le temps de débarrasser son visage de la crème solaire. Elle hésita quelques secondes à ouvrir. Elle portait une robe d'intérieur fanée et des mocassins. Puis elle haussa les épaules. Les hommes ! À quoi bon s'en soucier ?

« Entrez, dit-elle. On prendra le café dans la cuisine.

– Je préférerais du thé, répondit-il, trottant derrière elle.

– Quelle variété ? J'ai du Darjeeling, de l'Assam, du thé à la bergamote et un truc qu'ils appellent thé de l'après-midi.

– Le Darjeeling ira très bien. »

Agatha mit la bouilloire à chauffer.

« Vous ne travaillez pas en ce moment ?

– Non, je suis entre deux contrats. Je m'offre quelques jours de vacances. »

Agatha s'appuya sur le comptoir de la cuisine. Paul la détaillait de ses yeux noirs qui respiraient l'intelligence. Elle se prit à regretter de ne pas avoir une tenue plus seyante, ou tout au moins un brin de maquillage. Paul n'était pas beau à proprement parler, mais cette chevelure neigeuse associée à des yeux noirs dans ce visage très blanc, cette longue silhouette athlétique avaient de quoi tourner la tête aux femmes – sauf, évidemment, se remémorat-elle, à elle, Agatha Raisin.

« Je crois que mon cottage a appartenu autrefois à votre ex-mari, James Lacey », dit-il.

La bouilloire commençait à ronronner, Agatha plaça deux tasses sur la table et mit un sachet de thé dans l'une et une cuillerée de café instantané dans l'autre.

« En effet », répondit-elle.

Elle fit infuser le sachet, le sortit de l'eau et posa la tasse devant Paul.

« Le lait et le sucre sont devant vous.

– Merci. Mais pourquoi Raisin ? Vous vous êtes remariée ?

– Non, c'était le nom de mon premier mari et j'ai continué à l'utiliser même après avoir épousé James. Et vous, vous êtes marié ? »

Un bref silence tomba, pendant que Paul additionnait délicatement son thé de lait et de sucre, puis mélangeait le tout.

« Je le suis, répondit-il enfin.

– Alors, où est Mrs Chatterton ? »

Nouveau silence. Puis :

« Elle est partie voir sa famille en Espagne.

– Ah bon, elle est espagnole ?

– Oui.

– Comment s'appelle-t-elle ?

– Euh... Juanita. »

Les petits yeux d'ourse d'Agatha s'étrécirent.

« Vous savez quoi ? Je pense que vous n'êtes pas marié pour un sou et que votre Juanita n'existe pas. Bon, écoutez, si je vous ai fait entrer, c'est parce que cette histoire de fantôme m'intéresse, et pas pour vous mettre dans mon lit.

– Vous êtes toujours aussi directe ? interrogea Paul, l'œil soudain amusé.

– Oui, quand on me raconte des bobards.

– Mais Juanita existe bel et bien. Elle a de longs cheveux noirs...

– Et elle joue des castagnettes avec une rose au coin de la bouche. Laissez tomber, décréta sèchement Agatha. Donc, pour ces revenants, qu'est-ce que vous comptez faire ?

– Je projetais d'y faire un saut pour proposer mes services. Ça vous dit de m'accompagner ?

– Pourquoi pas, après tout ? Quand ça ?

– Immédiatement, si vous voulez.

– D'accord. Finissez votre thé pendant que je me change.

– Ça n'est pas nécessaire. Au contraire, votre

19

allure de bonne ménagère pourrait rassurer Mrs Witherspoon.

– Attendez-moi là. »

Agatha quitta la cuisine et grimpa l'escalier quatre à quatre. Elle revêtit une pimpante robe-chemise à rayures roses et blanches et se maquilla soigneusement. Elle avait grande envie de chausser des escarpins à talons, mais il faisait déjà très chaud, et des chevilles enflées n'auraient rien d'élégant. Aussi se contenta-t-elle de sandales plates.

Elle était au milieu de l'escalier quand elle réalisa qu'elle avait oublié de mettre un collant. Avec cette chaleur, cela signifiait que les brides de ses sandales allaient lui écorcher les pieds et que ses cuisses, sous la robe courte, risquaient d'adhérer au siège de la voiture. Elle remonta dans sa chambre, se débattit avec un collant étiqueté « Taille unique universelle » – et en conclut que l'individu qui avait placé sur l'emballage cette prétendue information prenait toutes les femmes pour des gamines étiques de quatorze ans. Un coup d'œil à la glace lui indiqua que sa bagarre avec le collant, dans une pièce déjà surchauffée, lui avait fait briller le nez. Elle se repoudra avec une telle vigueur qu'une salve d'éternuements s'ensuivit, ruinant son maquillage qu'elle dut recommencer intégralement. Parfait ! Une dernière vérification dans le miroir – et zut ! Les boutons du corsage, trop serré, menaçaient de craquer. Quittant sa robe, elle la remplaça par une blouse de cotonnade blanche et une jupe également ment en coton à taille élastique.

Impeccable. On pouvait y aller. Ultime inspection – Flûte ! Son soutien-gorge était noir et se voyait par transparence. Enlever la blouse, passer un soutien-gorge blanc, enfiler de nouveau la blouse... et tourner résolument le dos au miroir. Agatha dévala l'escalier.

« Il ne fallait pas vous donner tant de peine, commenta Paul.

– Je ne m'en suis pas donné du tout, grommela Agatha.

– Vous avez mis un temps fou et j'ai pensé... peu importe. Allons-y. Vous devriez vous munir d'une paire de bottes.

– Pourquoi ?

– Parce que l'épidémie de fièvre aphteuse n'est pas finie, et si la bonne dame habite près d'une ferme, nous devrons patauger dans le désinfectant.

– C'est vrai, admit Agatha. J'en ai une paire à côté de la porte. Nous prenons quelle voiture ? La vôtre ou la mienne ?

– J'aime autant conduire. »

Sa voiture était un superbe coupé sport décapotable des années 70. Agatha gémit intérieurement en s'installant. Le siège était si bas qu'elle avait l'impression d'être assise à même la route. Il démarra dans un grand rugissement et les cheveux d'Agatha lui volèrent dans la figure.

« Comment diable font les héroïnes des films

pour avoir toujours les cheveux qui flottent au vent derrière elles quand elles roulent en décapotable ? questionna-t-elle.

– Parce qu'on les filme en studio, dans un véhicule immobile, avec un paysage qui se déroule derrière et un ventilateur qui leur souffle les cheveux en arrière. Mais si ça vous ennuie, je peux m'arrêter pour relever le toit.

– Non, répondit aigrement Agatha. Le mal est fait. Dans quel coin de Hebberdon habite-t-elle, cette Mrs Witherspoon ?

– Ivy Cottage, impasse du Sac. »

Agatha demeura silencieuse tandis que défilait sous leurs yeux la campagne sinistrée, décor dévasté par l'épidémie. Si elle était restée à Londres, elle s'en serait bien moquée. Mais maintenant, d'une certaine manière, elle se sentait chez elle ici, et ce qui s'y passait la touchait profondément.

Hebberdon était un minuscule et pittoresque hameau, blotti au creux d'une vallée. Pas de boutiques, un pub et une poignée de cottages serrés les uns contre les autres. Paul arrêta la voiture et jeta un regard alentour.

« Je vais frapper à une de ces portes pour savoir où est cette impasse. »

Agatha pêcha une cigarette dans son sac et l'alluma. Il y avait un trou là où, à son sens, le cendrier aurait dû se trouver. Qu'importe, c'était une voiture découverte. Ça ne devrait pas le déranger.

Paul réapparut.

« Nous pouvons laisser la voiture ici. L'impasse est juste au coin. »

Sortir de la voiture rappela à Agatha son extraction du transat, mais elle y parvint cette fois sans avoir à faire de tonneaux sur la route.

L'impasse du Sac était une allée étroite fermée par un unique cottage. Agatha aspira une dernière bouffée de sa cigarette et la jeta sur le bord du chemin. Paul la récupéra et l'écrasa soigneusement.

« Par ce temps, vous allez faire flamber tout le pays, protesta-t-il.

— Désolée, marmotta Agatha, notant qu'elle n'était probablement pas la campagnarde qu'elle s'imaginait être. Elle a quel âge, cette Mrs Witherspoon ?

— Quatre-vingt-douze ans, d'après les journaux.

— Elle est peut-être gâteuse.

— Je ne crois pas. En tout cas, nous allons voir. »

Ivy Cottage disparaissait, comme son nom l'indiquait, sous un rideau de lierre qui ondulait dans la brise légère. Le toit était de chaume. Paul s'empara du heurtoir de laiton et frappa vigoureusement. Au bout d'un instant, le rabat de la boîte à lettres se souleva et une voix leur cria :

« Allez-vous-en.

— Nous sommes là pour vous aider, répondit Paul, courbé devant la fente. Nous allons vous débarrasser de votre fantôme.

– J'en ai assez des tarés. Débarrassez-moi plutôt le plancher ! »

Paul fit une grimace amusée à Agatha.

« Vous avez une âme sœur, on dirait. »

Il se retourna vers la boîte à lettres.

« Nous ne sommes pas des tarés, Mrs Witherspoon. Nous voulons vraiment vous aider.

– Et vous ferez comment ?

– Je me nomme Paul Chatterton et voici Agatha Raisin. Nous habitons à Carsely. Nous passerons une nuit chez vous et nous capturerons votre revenant. »

Il y eut un long silence, puis des grincements et des cliquetis de verrous et de chaînes. La porte s'ouvrit. Agatha dut lever les yeux. Elle s'était figuré une petite vieille dame frêle et voûtée, elle se trouvait face à une géante : Mrs Witherspoon était une force de la nature, qui mesurait au moins un mètre quatre-vingts, avec une chevelure teinte en roux carotte et d'énormes battoirs à la place des mains.

En guise de bienvenue, elle les convia à entrer d'un signe de tête, et ils la suivirent dans un salon obscur. Le lierre qui retombait tout autour des fenêtres à petits carreaux sertis de plomb interceptait l'essentiel de la lumière.

« Bon, alors, qu'est-ce qui vous fait croire à tous les deux que vous pouvez m'attraper mon revenant ? » demanda-t-elle.

Sa tête frôlait presque les poutres du plafond.

Agatha, qui s'était assise, se remit sur ses pieds. Elle n'aimait pas avoir l'impression d'être dominée.

« Ça vaut la peine d'essayer, répondit Paul sans se démonter. D'ailleurs, qu'est-ce que vous avez à y perdre ? »

Mrs Witherspoon tourna des yeux étincelants vers Agatha.

« Vous avez dit que vous vous appelez Raisin ? »

– C'est ce qu'il a dit. Et c'est bien ça.

– Ah, vous êtes la bonne femme de Carsely qui se prend pour une détective. Votre mari a décampé en vous plantant là. Ça ne m'étonne pas. »

– Et le vôtre, où est-il passé ? rétorqua Agatha en serrant les poings.

– Ça fait vingt ans qu'il est mort.

– Après tout, ce n'est peut-être pas une si bonne idée…, commença Agatha, en se tournant vers Paul.

– Laissez-moi faire, siffla-t-il, avant de rassurer Mrs Witherspoon d'un ton enjôleur : Nous ne vous dérangerions pas. Nous pourrions rester ici pendant la nuit et attendre.

– Pas question que je vous fasse à manger.

– L'idée ne m'avait même pas effleuré. Nous arriverons vers vingt-deux heures.

– Oh, bon, d'accord. J'ai vécu toute ma vie dans ce cottage et rien ne pourra m'en déloger.

– Il se manifeste comment, ce fantôme ?

– Des chuchotements, des pas, une espèce de brouillard gris qui s'infiltre sous la porte de ma chambre. La police a tout passé au peigne fin, mais ils n'ont relevé aucune trace d'entrée par effraction.

– Avez-vous des ennemis ? demanda Agatha.

– Pas que je sache. Je suis quelqu'un de gentil. J'ai jamais blessé qui que ce soit. »

Elle fixa Agatha d'un regard méprisant, comme pour signifier que celle-ci avait au contraire tout pour hérisser son prochain.

Sentant qu'elle allait exploser et lui jeter une réflexion désagréable à la figure, Paul poussa discrètement Agatha vers la porte.

« Nous serons là à vingt-deux heures », promit-il.

« Tout compte fait, ça ne me dit rien d'aider cette vieille sorcière, maugréa Agatha en remontant en voiture. Dracula en personne ne lui ferait pas peur, à celle-là.

– Oui, mais c'est intéressant, protesta Paul. Quand vous étiez petite, vous n'avez jamais eu envie de passer une nuit dans une maison hantée ? »

Agatha se remémora brièvement les taudis de Birmingham où elle avait grandi. La terreur et la violence terrestres y régnaient suffisamment pour qu'elle n'ait pas eu besoin, dans son enfance, de s'inventer des frayeurs surnaturelles.

Elle capitula avec un soupir.

« Bon, autant tenter le coup.

– J'apporterai un pique-nique et un jeu de Scrabble pour passer le temps.

– Une planchette de médium conviendrait mieux.

– Ça, je n'ai pas. Qu'est-ce que vous aimeriez manger ?

– Je dînerai avant de partir. Du café noir, ça ne serait sans doute pas inutile. Je préparerai une grande thermos.

– Bon, alors nous sommes parés. »

Ils rentrèrent à Carsely sous les regards vigilants de bon nombre de villageois.

« J'ai vu Mrs Raisin qui passait avec Paul Chatterton, rapporta d'une voix dolente Miss Simms, la secrétaire de la Société des dames de Carsely, à Mrs Bloxby qu'elle rencontra devant l'épicerie-bureau de poste un peu plus tard dans la journée. Je me demande comment elle fait ! On est toutes là à essayer de l'apercevoir et hop ! elle lui met le grappin dessus en deux temps trois mouvements ! Pourtant, ce n'est franchement plus un tendron !

– Je crois que les hommes trouvent Mrs Raisin affriolante », répondit la femme du pasteur et elle poursuivit son chemin en laissant Miss Simms bouche bée et les yeux écarquillés.

« Voyez-vous ça ? se plaignait Miss Simms, dix minutes plus tard, à Mrs Davenport, arrivée depuis peu, qui fréquentait régulièrement la Société. Mrs Bloxby, la femme du pasteur, vous

vous rendez compte, elle estime que Mrs Raisin est "affriolante".

– Et qu'est-ce qui lui fait dire ça ? demanda Mrs Davenport, parfaite image de l'expatriée britannique qu'elle était jusqu'à récemment – robe imprimée, larges chaussures bateau blanches, petits gants blancs et couvre-chef effroyable.

– C'est seulement que notre Mrs Raisin et Paul Chatterton se promènent dans sa voiture et ils ont l'air comme les deux doigts de la main. »

Dans l'ombre de son chapeau à vaste bord, le visage de Mrs Davenport se crispa de mécontentement. N'avait-elle pas fait présent à Mr Chatterton d'abord de son gâteau au chocolat le plus réussi et ensuite de deux pots de confiture maison ? Et n'avait-il pas accepté ses offrandes tout juste poliment, sans même lui proposer un café ?

Mrs Davenport continua sa route. La nouvelle l'irritait. En bonne représentante de ces expatriés britanniques qui se nourrissent de commérages, elle arrêta diverses personnes en chemin et leur livra une version qui s'enjolivait au fil des interlocuteurs. Le soir venu, tout le village parlait de la liaison d'Agatha et de Paul Chatterton.

À dix-huit heures, on sonna chez Agatha. Elle eut un instant l'espoir que Paul venait l'inviter à dîner, mais c'était l'inspecteur Bill Wong qui se tenait sur le seuil de la porte. Agatha éprouva un sentiment de culpabilité immédiat. Bill était le premier ami qu'elle s'était fait à son arrivée à la campagne. Elle ne voulait pas lui toucher mot du projet de chasse aux fantômes, de crainte qu'il ne tente de l'en dissuader.

« Entrez, dit-elle. Ça fait un bon moment que je ne vous ai pas vu. Quoi de neuf au pays ?

— Pas grand-chose. On passe notre temps à courir après les touristes qui s'obstinent à traverser les terres des fermiers avec leurs chiens, et à leur coller des amendes, c'est tout. Et vous, qu'avez-vous trafiqué ? »

Ils pénétrèrent dans la cuisine.

« Je viens juste de faire du café. Ça vous dit ?

— Merci. C'est la première fois que je vois une thermos de cette taille.

— C'est pour la Société des dames, mentit Agatha.

— Il paraît que James a fait un passage éclair à Carsely.

— Oui. Et je n'ai pas envie d'en parler.

— C'est toujours un sujet douloureux ?

— J'ai dit que je ne voulais pas en parler.

— Entendu. Et le nouveau voisin ?

— Paul Chatterton ? Il a l'air plutôt sympathique. »

Une expression de curiosité se peignit sur le visage rond de Bill, qui mêlait traits asiatiques et occidentaux. Agatha avait légèrement rougi.

« Donc vous n'avez rien fait de palpitant ?

— Que non ! J'ai fait un peu de communication

à Londres, mais depuis que je suis revenue ici, je me suis surtout occupée du jardin. Ah, j'ai confectionné des scones. Vous en prendrez bien un avec votre café ? »

Bill, qui connaissait les compétences culinaires d'Agatha, ou plutôt ses incompétences, ne manifesta aucun enthousiasme.

« Goûtez donc, insista Agatha. Ils sont vraiment excellents.

— Merci. »

Agatha déposa un scone sur une assiette et plaça du beurre et de la confiture devant lui. Bill mordit prudemment. La petite pâtisserie était délicieuse et légère comme une plume.

« Vous vous êtes vraiment surpassée, Agatha », commenta-t-il.

Et Agatha, à qui Mrs Bloxby avait fait cadeau des scones, lui dédia un charmant sourire.

« Vous ne pouvez pas vous figurer quelle parfaite maîtresse de maison je suis devenue. Oh, on sonne ! »

Elle se dépêcha d'aller ouvrir la porte, priant pour que ce ne soit pas Paul Chatterton, qui risquait de dévoiler leur projet de veille dans la maison hantée. Mais c'était Mrs Bloxby.

« Entrez. Bill est là », dit-elle en espérant secrètement qu'il avait fini son gâteau.

Mais à peine avaient-elles pénétré dans la cuisine que Bill, à sa grande horreur, lançait :

« Je reprendrais volontiers un de ces scones, Agatha.

– Oh, vous les aimez ? demanda Mrs Bloxby. J'en avais fait trop ce matin et j'ai partagé avec Mrs Raisin.

– Café ? lui proposa Agatha.

– Non merci. Les réunions de la Société des dames ne sont pas très suivies, aussi je suis passée m'assurer que vous viendriez ce soir.

– Je ne peux pas, s'excusa Agatha, consciente que Bill la dévisageait avec amusement.

– Pourquoi ça ?

– Je dois voir quelqu'un pour une mission de communication.

– Vous vous remettez déjà au travail ? Moi qui me figurais que vous vous apprêtiez à passer un été tranquille.

– Oh, c'est juste un contrat très court.

– De quoi s'agit-il cette fois ? Des vêtements ?

– Non, d'une nouvelle crème antirides.

– Vraiment ? Vous croyez qu'elle marche ?

– Je n'en ai absolument aucune idée, répondit Agatha un peu trop fort. C'est assommant, tout ça. Si nous parlions d'autre chose ? »

Il y eut un silence. Agatha se sentit devenir cramoisie.

« Vous êtes en train de vous forger une drôle de réputation dans le village, glissa Mrs Bloxby, d'un ton taquin. Tout le monde raconte que vous sortez avec Paul Chatterton.

« – Quelle idiotie !

– On vous a vue dans sa voiture.

– Il me rendait service, c'est tout.

– La vôtre est donc en panne ?

– Écoutez, répliqua Agatha, j'allais partir pour Moreton quand il est sorti de chez lui. Il m'a dit qu'il se rendait aussi à Moreton et m'a proposé de m'emmener. C'est tout. Honnêtement, ce que les gens peuvent jaser dans ce village !

– Eh bien, dit la femme du pasteur, il y en a quelques-unes qui ont grincé des dents en vous voyant apparemment en si bons termes. Pourquoi fallait-il que vous réussissiez là où tant d'autres ont échoué ? Mais il est temps que j'y aille. »

Agatha la reconduisit et revint sans enthousiasme dans la cuisine.

« Et mon second scone ? lui rappela Bill.

– J'ai dû me tromper et vous donner un de ceux de Mrs Bloxby au lieu d'un des miens, déclara Agatha qui, lorsqu'elle se mettait dans une situation embarrassante, avait le chic pour s'y enliser.

– Alors, donnez-m'en un des vôtres. »

Agatha ouvrit ostensiblement une boîte qu'elle savait parfaitement vide. « Ah, je suis désolée, il n'y en a plus. Quel dommage. »

Et elle posa un autre des scones de Mrs Bloxby sur son assiette.

« Est-ce que vous avez entendu parler d'une certaine Mrs Witherspoon, qui prétend que sa maison est hantée ? demanda Bill.

« – Oui, c'était dans le journal local.

– Et vous ne vous sentez pas obligée de vous en occuper ?

– Non, j'ai envie d'avoir la paix. Elle est probablement gâteuse.

– Pas du tout. Je suis allé enquêter là-bas deux ou trois fois. La police n'a rien trouvé. J'ai l'impression étrange, Agatha, que vous me cachez quelque chose.

– Ne dites pas d'âneries.

– Mais quand j'ai mentionné votre nouveau voisin, vous vous êtes bien gardée de me raconter qu'il vous avait emmenée à Moreton.

– Qu'est-ce que c'est que ces insinuations ? Du troisième degré ? »

Bill éclata de rire.

« Rien ne m'ôtera l'idée que vous me faites des cachotteries. Oh, bon, je suis sûr qu'une petite chasse aux revenants ne vous fera pas de mal.

– Mais je n'ai jamais dit...

– Non, bien sûr ! Je pourrais vous poser des questions sur cette crème antirides et vous demander où vous avez rendez-vous avec ce monsieur, mais je ne veux pas solliciter davantage votre imagination.

– Bill !

– À un de ces jours », conclut-il avec un sourire malicieux.

Agatha poussa un soupir de soulagement en refermant la porte derrière lui et monta prendre une douche. Elle se sentait brûlante et moite après tous ses mensonges.

Au fait, quelle était la tenue de rigueur pour la chasse aux fantômes ?

2

Quand Agatha redescendit de sa chambre ce soir-là, elle laissait derrière elle une pièce plongée dans le chaos. Elle avait essayé à peu près toute sa garde-robe, du plus chic jusqu'au moins élégant, avant d'opter enfin pour un confortable pantalon de lainage, une chemise à carreaux et un chandail en cachemire.

Ne recommence pas à t'intéresser aux hommes, s'admonesta-t-elle sévèrement et ce fut d'un air si rogue qu'elle ouvrit la porte à Paul que celui-ci recula d'un pas et lui demanda si quelque chose n'allait pas.

« Non, non, tout va bien, je vais chercher le café, répondit-elle.

– J'ai oublié de vous dire que je préfère parfois le thé, et c'est justement le cas ce soir. »

Agatha lui jeta un regard mauvais et s'en fut chercher sa thermos géante dans la cuisine. Au moins, avec tout ce café, elle aurait de bonnes chances de rester éveillée.

« Nous prenons ma voiture », déclara-t-elle fermement. La soirée était très fraîche et l'idée de caracoler par les chemins dans la décapotable de Paul ne la séduisait guère.

Paul chargea un panier de pique-nique dans l'Audi neuve d'Agatha.

« Vous avez apporté de quoi nourrir un régiment ! se récria-t-elle.

– Je n'ai pas dîné. Et vous ?

– J'ai mangé un morceau sur le pouce », mentit Agatha, étrangement gênée d'avoir consacré tellement de temps à se livrer à ses expérimentations vestimentaires, accompagnées d'un maquillage des plus élaborés, avec mascara et fard à paupières, qu'elle avait ensuite intégralement ôté pour le remplacer par un autre plus léger. Son estomac protesta et elle s'empressa d'ajouter :

« Oh, juste un sandwich.

– C'est une chance que j'aie prévu pour deux », répondit-il.

En traversant le village, Agatha se demanda combien de rideaux s'écartaient subrepticement sur leur passage.

« C'est excitant, vous ne trouvez pas ? fit Paul.

– Oui », acquiesça Agatha d'un ton peu convaincu.

Elle ne croyait pas aux revenants : craquements et bruits variés étaient monnaie courante dans les vieilles maisons comme la sienne et celle de Mrs Witherspoon. Elle avait pour seule perspective une nuit blanche, en compagnie d'un homme qu'elle connaissait à peine.

Arrivés à Ivy Cottage, ils déchargèrent la voiture. Mrs Witherspoon vint leur ouvrir, engoncée dans une volumineuse robe de chambre écarlate qui jurait avec sa chevelure carotte.

« Oh, c'est vous, grogna-t-elle sans aménité. Installez-vous dans le salon, et si vous avez besoin des toilettes, c'est la porte sur le palier. À part ça, ne venez pas m'embêter et débrouillez-vous pour ne pas me réveiller, j'ai le sommeil très léger. »

Et là-dessus, elle regagna l'étage.

« Elle n'a pas l'air de tenir à ce qu'on lui débusque son fantôme, grommela Agatha.

– Ça ne fait rien. Bon, moi, j'ai faim, lança Paul en ouvrant sa bourriche, dont il tira un assortiment de récipients en plastique, d'assiettes et de couverts. Il y a du poulet froid, de la salade et de la baguette à la française, dit-il gaiement. Servez-vous. Et après, nous ferons une partie de Scrabble. »

Agatha dévora sa part avec reconnaissance et l'accompagna de plusieurs tasses de café noir très fort. Paul avait apporté une thermos de thé.

« Qu'est-ce qui vous a conduit à Carsely ? lui demanda Agatha.

– Je voulais un coin tranquille et joli. En temps normal, j'habite Londres, mais la ville est devenue tellement bruyante, surpeuplée et sale ! Et puis, Carsely n'est qu'à une heure et demie de Londres, donc on ne peut pas vraiment parler d'isolement.

– Vous avez toujours travaillé dans l'informatique ?

– Oui, j'ai eu de la chance. J'ai commencé dès la sortie de l'université. Le secteur n'en était encore qu'à ses premiers balbutiements, ou presque, quand j'ai débuté.

– Qu'est-ce que vous faites au juste ?

– De la programmation. Et vous ? À la retraite ?

– Généralement oui, mais j'accepte à l'occasion des missions. J'avais ma propre agence de communication à Londres, mais je l'ai vendue et j'ai pris une retraite *anticipée*, répondit Agatha en accentuant le terme « anticipée ».

– Et comment êtes-vous devenue détective amateur ?

– Par hasard. Vous savez, de temps en temps, il se produit un incident qui pique ma curiosité, et voilà…

– Et vous avez une façon particulière de procéder ?

– Je circule dans les environs en posant des questions. La police manque souvent de temps pour lier connaissance avec les gens et ils parlent plus facilement à un civil qu'aux inspecteurs. »

Agatha réprima vivement son envie de fanfaronner. Elle soupçonnait, avec un certain malaise, Paul de la trouver plus divertissante que séduisante.

La collation terminée, il rangea soigneusement les assiettes. L'histoire de Juanita ne tient pas debout, se dit Agatha. Les célibataires sont toujours ordonnés et bien organisés. Elle pensa tout à coup à James Lacey et un brusque accès de souffrance lui fit monter les larmes aux yeux.

« Qu'est-ce qui vous arrive ? s'enquit Paul.

— Je me suis bêtement mordu la langue.

— Ça, ça fait mal. On fait une partie de Scrabble ? »

Il disposa le plateau et les lettres sur la table. C'était à lui de commencer. Il composa le terme « xénon ».

« Ce n'est pas un mot, protesta Agatha avec humeur.

— Mais si. C'est un gaz. Tenez ! assura-t-il, en s'emparant d'un exemplaire du dictionnaire d'Oxford, qu'il lui tendit.

— Bon, d'accord », concéda Agatha de mauvaise grâce, après avoir vérifié.

Ils poursuivirent la partie. Paul gagna haut la main. Ils en entamèrent une autre, accompagnés par le tic-tac morne d'une vieille pendule de marbre qui trônait sur la cheminée, et dont les rouages rouillés déclenchèrent soudain un carillon grinçant : il était minuit.

Les minutes se traînaient interminablement. Paul remporta deux autres parties.

« J'en ai assez, déclara Agatha.

— Voulez-vous faire un petit somme ? Je monterai la garde.

— Non, je préfère rester encore un peu éveillée.

Quel silence ! Si seulement nous pouvions faire quelque chose d'amusant pour passer le temps.

– En fait, annonça Paul, il y a quelque chose que nous pourrions faire. »

Agatha se sentit parcourue d'un petit frisson sensuel.

« Quoi donc ?

– Un poker. J'ai apporté un jeu de cartes.

– Oh non, c'est encore plus barbant que le Scrabble, je m'y couvrirais tout autant de ridicule, et c'est bien pour ça d'ailleurs que vous le proposez. Est-ce que Juanita existe vraiment ?

– Bien sûr que oui.

– Alors, pourquoi n'est-elle pas avec vous ?

– Je vous l'ai dit, elle est allée voir sa famille en Espagne.

– C'est vrai. Il commence à faire froid ici. Et qu'est-ce que c'est que ça ? »

Une brume blanche s'infiltrait sous la porte du salon. Agatha, les yeux écarquillés, la regarda s'enrouler autour de leurs jambes.

« Ah, dit Paul en se levant. Quelqu'un est en train de nous jouer des tours. Filez voir là-haut si Mrs Witherspoon va bien pendant que je fouille le rez-de-chaussée.

– Il le faut vraiment ?

– Allez-y. »

Paul ouvrit la porte, traversa la petite entrée et passa dans la cuisine à l'arrière de la maison. Agatha monta l'escalier, les pieds comme deux masses de plomb. D'une petite voix chevrotante, elle appela : « Mrs Witherspoon », puis un peu plus fort : « Mrs Witherspoon ! »

Une porte s'ouvrit tout en haut de l'escalier, livrant passage à une effroyable apparition : une immense silhouette blanche, surmontée d'une face verte aux yeux rouges et fixes. Agatha hurla. Elle dévala les marches, ouvrit brutalement la porte d'entrée et se précipita dans sa voiture, cherchant ses clefs à tâtons. Elle entendit vaguement Paul crier quelque chose, mais elle ne voulait plus rien savoir. Elle fendit la nuit, moteur rugissant, et ne s'arrêta que devant chez elle. Ce ne fut qu'une fois terrée au fond de son lit, enfouie jusqu'aux oreilles sous sa couette, qu'elle retrouva un certain sentiment de sécurité. Malgré sa frayeur, elle sombra dans un profond sommeil dont elle fut tirée deux heures plus tard par la sonnerie du téléphone. Se persuadant qu'un fantôme ne saurait sûrement pas se servir de ce moyen de communication moderne, elle décrocha le combiné.

La voix de Paul résonna à l'autre bout du fil :

« Pourriez-vous venir me chercher ? Vous m'avez laissé en plan.

– J'ai vu une apparition terrifiante…, commença Agatha.

– Cette apparition terrifiante était Mrs Witherspoon avec un masque de beauté sur la figure. Elle est furieuse contre vous. Pour une détective, vous n'êtes pas très brave.

– J'arrive. »

Agatha reposa le combiné sans douceur, s'habilla en hâte et repartit pour Hebberdon, assez penaude. Paul l'attendait sur le seuil de la porte.

« Je suis désolée, plaida Agatha, pendant qu'il rangeait le panier du pique-nique dans le coffre. Mais comment pouvais-je savoir que c'était elle ? Et cette espèce de brouillard glacial ?

– Je suis certain que c'était tout bonnement du gaz carbonique. Il n'y a pas le moindre signe d'effraction et les fenêtres étaient toutes solidement fermées. Elle affirme que personne d'autre qu'elle n'a de clef, mais il doit y avoir des doubles en circulation. » Il s'installa à côté d'elle. « En tout cas, grâce à vous, la question est réglée. Vous l'avez mise dans une telle fureur qu'elle ne veut plus nous voir.

– J'ai dit que j'étais désolée, vociféra Agatha en démarrant. Qu'attendez-vous de plus ? Et qu'est-ce qu'il y a de si drôle ? »

Paul hoquetait de rire.

« Vous ! Si vous aviez vu votre tête !

– Ne vous est-il pas venu à l'idée, répliqua Agatha froidement, qu'une personne assez cruelle pour essayer de faire mourir cette vieille femme de frayeur aurait tout aussi bien pu tenter de nous éliminer définitivement ?

– Non, je ne crois pas. J'ai voulu savoir si elle avait beaucoup d'argent et qui en hériterait, mais elle m'a enjoint de me mêler de mes affaires. Je me demande si nous ne devrions pas aller faire un tour à Hebberdon un peu plus tard et questionner un brin les gens du coin. »

Agatha avait honte d'elle-même, ce qui la rendait irritable et désagréable. Il lui déplaisait de ne pas diriger les opérations, mais elle dut s'avouer que refuser de continuer l'enquête serait une réaction infantile.

« D'accord, concéda-t-elle d'un ton hargneux. À quelle heure ?

— Oh, dormons un peu d'abord. Disons onze heures ce matin ?

— Entendu. »

Il se remit à rire.

« Admettez tout de même que c'était hilarant. Vous avez détalé en hurlant comme une perdue.

— N'en rajoutez plus. Je me sens déjà suffisamment idiote comme ça.

— Mais, dit-il d'un ton conciliant, qui irait imaginer que la vieille Mrs Witherspoon s'offre encore des masques de beauté à son âge ?

— Ce gaz carbonique… Au moins nous savons qu'il y a quelqu'un d'humain derrière. C'était bien du gaz carbonique ? demanda Agatha.

— Ça se pourrait bien. Mais la police y aurait sûrement pensé.

— Je n'en suis pas sûre. Le gouvernement a fermé tellement de commissariats dans les campagnes que les policiers qui restent sont débordés. Quoi qu'il en soit, demain est un autre jour. »

Quand ils repartirent dans la matinée, Agatha était fermement résolue, quoi qu'il arrive, à ne plus se laisser effrayer par un quelconque « fantôme ». Mais elle se sentait quelque peu embarrassée face à Paul. Lui n'avait pas l'air d'éprouver la moindre gêne à son égard, mais d'ailleurs pourquoi en aurait-il éprouvé ? Il la considérait sans doute comme une originale d'un certain âge, tout juste bonne à le divertir un moment et à jouer les Dr Watson auprès d'un esprit supérieur comme lui. Elle passa mentalement en revue sa tenue : chandail de cachemire rouge, pantalon de lainage, sandales à talons. Elle tira un peu plus son chandail sur son ventre. Il était grand temps de se remettre au sport et au régime. Quelle barbe de vieillir ! À moins d'une lutte acharnée, on se retrouvait avec des muscles flasques, des plis et des bourrelets. Juste sous la mâchoire, la peau montrait bel et bien des signes de relâchement inquiétants. Elle s'était de nouveau administré soixante petites tapes le matin même, et avait exécuté une série de grimaces censées raffermir la chair, ce qui avait essentiellement provoqué des rougeurs. Elle espéra qu'elles avaient disparu. Mais pourquoi diable se souciait-elle de ce que Paul pouvait bien penser de son physique ? Parce que c'est un homme, se répondit-elle tristement, et qu'elle-même, tout comme les femmes de sa génération, avait été dressée à voir en chaque homme un amant potentiel.

« Nous y voilà, dit Paul, en arrêtant la voiture.

Ce qu'il nous faudrait éclaircir, c'est si Mrs Wither-spoon est considérée comme une excentrique, et aussi qui hériterait de sa maison en cas de décès. À mon avis, quelqu'un essaye de lui provoquer une crise cardiaque.

— Alors, ce quelqu'un la connaît mal, commenta Agatha.

— Elle souffre d'hypertension.

— Comment le savez-vous ?

— Je suis allé aux toilettes cette nuit et j'en ai profité pour inventorier son armoire à pharmacie.

— Par où commençons-nous ? demanda Agatha en examinant les environs.

— Pourquoi pas le bistrot ? »

Ils descendirent de l'auto. Le café, un petit bâtiment cubique, qui datait de l'ère victorienne, s'appelait Au Chemin de fer.

« J'ignorais qu'il y avait eu une gare ici, s'étonna Agatha.

— Il y en avait sans doute une à l'époque où les trains s'arrêtaient partout. La ligne de Hereford passe tout près. »

Agatha regarda sa montre.

« Il est encore tôt. N'importe comment, il ne doit pas y avoir une foule de clients.

— Ils sont à leur compte. Ils n'ont pas encore été rachetés par une chaîne quelconque. Ils reçoivent peut-être des randonneurs quand il n'y a pas la fièvre aphteuse. Allons-y.

— Vous ne fermez pas votre voiture ?

– Non, elle ne risque rien.

– À votre place, je verrouillerais les portières. Vous avez un autoradio, avec lecteur CD.

– Allons, cessez de vous tracasser et mettons-nous au travail. »

Ils entrèrent dans le café. Les murs, jadis blancs et désormais jaunis par la fumée de cigarette, s'ornaient de quelques cadres contenant des clichés de trains à vapeur. Un comptoir de bois qui avait connu des jours meilleurs, parallèle à l'une des cloisons, quelques tables de bois aussi et des chaises à dossier droit composaient tout l'ameublement. Un homme à demi chauve, à la panse de buveur de bière, tenait le bar.

« Qu'est-ce que vous prendrez ? demanda Paul.

– Un gin-tonic.

– Bon. C'est un peu tôt pour moi, je prendrai un jus de tomate.

– Je n'ai pas de glace, prévint l'aubergiste.

– Ça m'aurait étonnée », lâcha Agatha.

Il aligna deux verres sur le comptoir.

« Vous visitez le pays ? demanda-t-il.

– Nous habitons tous les deux à Carsely, répondit Paul. Drôle d'histoire, à propos de Mrs Witherspoon. Nous l'avons lue dans les journaux.

– Faut pas vous occuper de ça.

– Pourquoi ? demanda Agatha.

– Parce que c'est une vieille garce, toujours prête à raconter des foutaises, répliqua l'aubergiste.

– Intéressant, commenta Agatha. Mais vous me

paraissez quelqu'un de remarquablement intelligent. Vous êtes employé ici, ou c'est vous le patron ?

— Le bistrot est à moi, fit-il en tendant la main. Mon nom, c'est Barry Briar. »

Agatha lui serra la main. Il retint la sienne et la lorgna d'un œil lubrique.

« Donc, Mr Briar, reprit Agatha en s'efforçant de se dégager, selon vous, Mrs Witherspoon aurait inventé toute cette histoire ?

— Pour sûr qu'elle l'a inventée. Elle aime qu'on s'occupe d'elle, vous comprenez ? Avant ça, elle passait son temps à appeler la police pour un oui ou pour un non.

— Comme pour vous dénoncer quand vous serviez les clients en dehors des heures légales ? demanda Paul.

— Vrai. Mais c'était pas tout.

— Quoi d'autre, par exemple ? interrogea Agatha. Je vous offre un verre ?

— Merci, pour moi, ça s'ra un whisky. »

Briar se versa double mesure et Agatha paya sans enthousiasme.

« Par exemple, pour Greta Handy, de Pear Cottage. Elle s'est offert la télévision satellite ; Mrs Witherspoon s'est plainte au conseil municipal que ça dénaturait un bâtiment ancien et ils l'ont forcée à enlever son antenne. Et puis aussi Percy Flemming à Dove Cottage. Il est écrivain. Il s'est fait construire un petit abri dans son jardin, il voulait un coin pour travailler. Pour ranger son ordinateur avec tout son matériel et ses manuscrits, et pour lui servir de bureau, qu'il a dit. Même le téléphone qu'il y avait. Une jolie p'tite bicoque, j'vous assure. Mrs Witherspoon s'en est allée cafarder au conseil municipal, comme quoi il avait pas demandé de permis et qu'il fallait qu'il démolisse. Il a payé des avocats et il a gagné, mais ça lui a coûté un paquet.

– Grands dieux ! » Agatha arbora son air le plus fasciné. « Elle a de la famille ?

– Une fille, Carol, qu'habite du côté d'Ancombe. Et un fils. Ils n'se parlent pas.

– Pourquoi ça ?

– C'est que Carol a pas loin de soixante-dix ans et elle a jamais pu se marier. Elle dit qu'elle en a pas eu la moindre chance : sa mère les faisait tous fuir. Quand elle a pris son courage à deux mains et qu'elle s'est tirée, la pauvre fille, c'était trop tard.

– Donc Mrs Witherspoon a monté ça de toutes pièces ? questionna Paul.

– Sûr. Tout ce remue-ménage, avec la police et les journalistes qui s'agitent, elle adore ça. »

Le téléphone sonna dans une autre pièce et Briar alla répondre. Agatha et Paul s'assirent à une table en emportant leurs verres.

« Qu'en pensez-vous ? demanda Paul.

– Il m'a tout l'air de dire la vérité.

– Et cette espèce de brouillard ?

– Elle l'a probablement fabriqué elle-même.

Écoutez, si elle avait été réellement terrifiée, elle aurait été bien contente que nous venions à son aide, alors que là, il a vraiment fallu lui forcer la main.

– Finissez votre verre et allons voir les deux voisins auxquels elle s'en est prise. »

Greta Handy était une petite femme boulotte et musclée, avec une épaisse chevelure grise bien tirée en chignon au sommet de son crâne. Elle portait un tricot d'homme sur un vieux jean délavé et troué. Quand ils lui eurent expliqué la raison de leur visite, elle les fit entrer. Ils se retrouvèrent plantés, quelque peu désemparés, au beau milieu de son salon, sous les poutres basses du plafond, ne sachant où s'asseoir : un énorme chien de race incertaine se prélassait sur le canapé, tandis que des chats somnolaient sur les deux fauteuils. L'air y était rare et chargé d'effluves canins et félins ; des bols de nourriture pour animaux, à demi vides, constellaient le tapis couvert de poils. Un grand téléviseur dominait la scène. Agatha remarqua une télécommande posée sur un magnétoscope.

« Finalement, vous avez pu récupérer la télévision par satellite ?

– Oui, cette vieille idiote ! Quel cirque ! Les techniciens ont simplement retiré la parabole du mur et l'ont fixée sur un support dans le jardin, derrière les buissons.

– Et cette histoire de revenants ? demanda Paul.

– De la blague, si vous voulez mon avis. Elle n'a plus personne à empoisonner, alors elle a monté ça de toutes pièces. Je n'en reviens pas que la police l'ait écoutée. J'ai été la voir et je lui ai dit : "Si jamais vous me faites encore des histoires, je vous plante mon couteau à pain dans le ventre." Et la voilà qui appelle la police. "J'ai jamais dit ça", je leur ai affirmé. Je veux dire, quand on est en colère, on lance des paroles en l'air, sans les penser. Si j'avais reconnu que je l'avais vraiment menacée, peut-être qu'ils m'auraient arrêtée. Depuis, j'ai la paix. »

Une fois dehors, Agatha et Paul aspirèrent avec soulagement de grandes bouffées d'air frais.

« Essayons donc l'autre, l'écrivain, pendant que nous y sommes », proposa Paul.

À Dove Cottage, personne ne répondit à leur coup de sonnette.

« Faisons le tour, suggéra Agatha. Il est peut-être dans son abri. »

Ils suivirent un étroit sentier, qui longeait le cottage blotti sous son toit de chaume. Si le jardin de devant regorgeait de fleurs, celui de derrière se réduisait à un carré de pelouse et au fameux abri, qui était un cube de bois éclairé par une fenêtre à double vitrage.

« Ce genre de chose coûte une fortune, remarqua Agatha. Je me demande ce qu'il écrit.

– Il utilise peut-être un pseudonyme qui nous est familier », fit Paul en frappant à la porte.

Ils furent accueillis par un homme de haute taille, aux épaules voûtées. Il avait une longue chevelure argentée, et portait un complet de velours noir, dont la veste s'ouvrait sur une chemise blanche et une cravate de soie.

« Allez-vous-en, lança-t-il d'une voix de fausset. Je n'achète rien.

– Nous ne vendons rien, répliqua Paul. Je m'appelle Paul Chatterton et voici Mrs Raisin. Nous avons passé la nuit dernière chez Mrs Witherspoon pour tenter de piéger son fantôme, mais nous n'avons pas réussi. Tout le monde ici a l'air de penser, pour le moment du moins, qu'elle a tout inventé.

– Entrez », se ravisa Percy. Ils montèrent le petit perron de bois et pénétrèrent dans le bureau rustique où régnait un ordre quasi miraculeux. Des dossiers multicolores s'alignaient impeccablement sur les étagères ; un ordinateur et une imprimante trônaient sur une table métallique, derrière laquelle Percy prit place. Il indiqua à ses visiteurs deux sièges inconfortables en face de lui. « Je suis content que vous soyez venus me trouver », dit-il en joignant élégamment le bout des doigts et en prenant – ou s'efforçant de prendre, pensa Agatha – un air de grande sagacité.

« Je suis écrivain, et j'ai l'œil d'un écrivain pour les détails. »

Pas très doué probablement, dispose sans doute d'autres sources de revenus, estima Agatha. Elle savait d'expérience que les auteurs se vantent rarement de leur métier, quand ils ont réellement du succès.

« Écrivez-vous sous votre propre nom ? s'enquit-elle.

— Non, répondit-il fièrement. Je suis connu sous le pseudonyme de "Lancelot du Graal". » Il ouvrit un tiroir du bureau, en tira un livre broché et le lui tendit. Sur la couverture, une silhouette virile et musculeuse, le torse dénudé, brandissait une hache sous le nez d'un dragon à l'air féroce.

— Ah ! Naturellement, je vois tout à fait ! mentit Agatha, désireuse d'encourager son humeur coopérative. Pouvez-vous nous apporter quelques renseignements sur Mrs Witherspoon ?

— Pour parler sans ambages, c'est une garce tout droit sortie des entrailles de l'enfer. Ah, mon langage sans fard vous choque, Mrs Raisin, mais c'est l'exacte vérité. Elle s'est plainte de cet abri au conseil municipal et j'ai dû recourir à un avocat, qui m'a coûté des *sommes folles*, pour régler la question. Je l'ai priée de se mêler de ses affaires à l'avenir et elle m'a répondu d'aller me faire… » Son visage se teinta d'un rose délicat. « Mais je ne puis souiller vos oreilles de tels termes. Bien évidemment, elle affabule. C'est une femme esseulée, qui s'ennuie et a pour passe-temps favori de semer le tumulte et le chaos. »

Agatha se sentit déçue. Trois personnes de ce minuscule village tenaient en substance les mêmes propos. Il ne semblait plus avoir lieu d'enquêter, or sans enquête, c'était la fin de ses escapades avec Paul.

Paul se leva.

« Merci de nous avoir consacré un moment. Vous pensez donc que cette histoire ne tient pas debout ? Nous nous demandions si quelqu'un n'essayait pas de la faire mourir de peur.

– Elle ? Mais, mon cher, tous les dragons de Gorth ne parviendraient pas à terrifier cette mégère.

– Gorth ?

– C'est la planète où se situe mon dernier livre. Je vous en offrirais bien un exemplaire, mais d'un autre côté, je pense que les gens devraient l'acheter, plutôt que d'attendre qu'on leur en fasse cadeau.

– Cela ne me viendrait jamais à l'idée », lui assura Agatha du fond du cœur.

« Finalement, il n'y a rien à chercher, déplora Paul d'un ton déçu en regagnant la voiture.

– Je crains bien que si, répondit Agatha, les yeux sur le véhicule.

– Que voulez-vous dire ? »

Elle désigna le toit décapotable, que Paul avait remonté. On y avait pratiqué une grande entaille à l'aide d'une lame bien aiguisée. Avec une exclamation de mécontentement, Paul ouvrit la portière.

« Mon lecteur CD a disparu ! »

Il fouilla d'un regard frénétique les environs.

« Qui a bien pu faire ça ?

– J'appelle la police », annonça Agatha, en sortant son téléphone portable.

Bill Wong fit un détour par la salle des opérations avant de quitter le commissariat central de Mircester. Il avait un peu le béguin pour Haley, la nouvelle recrue blonde. Elle était justement en train de prendre une communication.

« À toute unité dans la zone de Hebberdon. Vol de radio dans une auto. Propriétaire, un Mr Paul Chatterton », l'entendit-il énoncer.

Bill, plongé dans ses pensées, l'écouta donner des instructions supplémentaires. Il n'y a pas si longtemps, on aurait envoyé un policier du village le plus proche, mais depuis que le gouvernement avait supprimé tant de commissariats locaux, il fallait transmettre les appels aux patrouilles. Chatterton. C'était le nouveau voisin d'Agatha et Hebberdon était le village de la vieille dame terrorisée par un revenant. Agatha s'occupait donc de cette affaire, en définitive.

Un agent nota patiemment tous les détails du vol.

« Nous ferons tout notre possible, monsieur, dit-il pour finir en fermant son carnet. Mais à l'avenir, veillez à verrouiller votre véhicule.

– Et quelle différence cela fera-t-il ? riposta Paul avec colère. De toute façon, ils ont supposé que je l'avais fermé et ils ont tout bonnement découpé la capote. Quelqu'un a bien dû voir quelque chose, dans un village aussi petit ! »

Ils inspectèrent la petite route sinueuse dans un sens puis dans l'autre, mais rien ne bougeait dans le paysage éclaboussé de soleil.

« Essayons le bistrot, suggéra Agatha.

– Laissez-nous plutôt nous occuper de l'enquête, recommanda le policier. J'ai votre numéro de téléphone, Mr Chatterton. Nous vous contacterons si nous trouvons quelque chose. »

Il resta là jusqu'à ce qu'ils aient démarré.

« J'en suis malade, dit Paul. J'adore cette voiture.

– Alors vous devriez y faire plus attention, rétorqua Agatha.

– Vous êtes toujours aussi courtoise et compatissante ? »

Ils arrivèrent à Carsely dans un silence courroucé. Avant de descendre, Agatha tenta une réconciliation :

« Paul, je suis vraiment désolée de ce que j'ai dit à propos de votre voiture. »

Mais il resta figé au volant, le regard fixé sur son pare-brise.

Agatha s'extirpa de son siège et gagna la maison d'un pas pesant. Zut, pensa-t-elle, j'ai tout fichu en l'air.

Elle traversa la cuisine, ouvrit la porte du jardin pour faire sortir les chats et les suivit après s'être préparé une tasse de café. Elle se laissa choir dans son transat. Et maintenant, que faire ? En toute honnêteté, admit-elle, elle n'avait pas détesté damer le pion aux autres femmes du village en paradant en compagnie de Paul Chatterton. Elle n'aurait probablement plus guère de chances de le revoir. Puisqu'il n'y avait plus de mystère à résoudre, il allait sans doute accepter un autre contrat.

Le timbre suraigu de la sonnette résonna. Elle voulut se remettre debout, finit par faire chavirer le pliant et atterrit à plat ventre sur le gazon. Elle traversa la maison en toute hâte.

« Mon Dieu, faites que ce soit Paul, se répétait-elle en boucle. C'est sûrement Paul. »

Elle ouvrit précipitamment la porte.

Bill Wong se tenait sur le seuil.

Le visage d'Agatha s'allongea.

« Vous attendiez quelqu'un ? s'enquit Bill.

– Non, non pas du tout. Une seconde visite, si rapidement ! Venez au jardin. Un café ?

– Non merci, je passe juste en coup de vent.

– Je vais chercher une chaise, annonça Agatha, une fois dans le jardin. Essayez donc le transat, conseilla-t-elle malicieusement. Il est très confortable. »

Elle apporta une de ses chaises de cuisine bien dures. Bill s'installa dans le fauteuil.

« J'ai entendu dire que la voiture de votre voisin avait été forcée à Hebberdon.

– Et vous avez fait tout ce chemin juste pour ça ?

– Je me demandais ce que vous mijotiez tous les deux. La seule chose qui pouvait vous amener à Hebberdon, Agatha Raisin, c'est la chasse aux fantômes.

– Autant que je vous raconte tout. Bon, d'accord, je suis désolée de ne pas vous avoir prévenu, mais je pensais que vous ne voudriez pas que je m'en mêle.

– Tout juste. Et qu'est-ce que vous avez donc découvert ?

– Pas grand-chose. Je me suis complètement ridiculisée. »

Du fond du transat, il lui jeta un regard gentiment amusé.

« Vous ? Allons, allons ! Qu'est-ce qui s'est passé ?

– Paul a convaincu Mrs Witherspoon de nous laisser veiller la nuit chez elle. Au début tout était très calme, on s'ennuyait ferme. Puis cette espèce de brouillard glacial a commencé à s'infiltrer sous la porte. Je suis montée quatre à quatre vérifier si Mrs Witherspoon allait bien, et là, je suis tombée sur une horrible apparition, avec la figure toute verte et une longue robe blanche. Je me suis enfuie de la maison en hurlant. Paul m'a téléphoné pour me dire que ce n'était que Mrs Witherspoon en chemise de nuit, avec un masque de beauté. Pas étonnant qu'elle ait l'air si hargneuse. On n'est pas censé dormir avec ça sur la figure. »

Bill gloussa d'hilarité, et caressa Boswell qui avait sauté sur ses genoux.

« En tout cas, continua Agatha, nous sommes retournés là-bas aujourd'hui pour poser quelques questions dans le village. Mrs Witherspoon ne veut plus entendre parler de nous. Trois de ses voisins nous ont déclaré qu'elle avait monté cette histoire de toutes pièces, dans le seul but de se rendre intéressante.

— Et vous y croyez ?

— À mon avis, cette vieille bique ferait n'importe quoi pour empoisonner la vie des gens.

— Peut-être bien. La police a fait le guet dans ce cottage pendant quelques nuits, mais il ne s'est rien passé. Ce brouillard glacé… ?

— Probablement du gaz carbonique, de la glace sèche, ça s'utilise parfois au théâtre.

— Eh bien, c'est déjà quelque chose. Vous n'avez pas trouvé ça bizarre ?

— Après tout ce que les voisins nous ont raconté, je suppose que c'était elle qui nous jouait un tour. Il ne doit pas être bien difficile de s'en procurer, j'imagine. »

On sonna. Agatha s'excusa et alla ouvrir. Elle ne s'attendait nullement à voir Paul cette fois, mais c'était bien lui qui se tenait sur le seuil, en chair et en os.

« Oh, Paul, balbutia Agatha d'une toute petite voix. J'ai dit que j'étais désolée.

– Ça n'a pas d'importance, répondit-il, ses yeux noirs brillant d'excitation. Je viens de recevoir un appel de la police. Ils ont retrouvé ma radio.

– Entrez, un de mes amis policiers est justement là, le convia-t-elle, en l'entraînant au jardin. Bill, je vous présente Paul Chatterton. Paul, voici l'inspecteur Bill Wong. »

Paul s'affala dans l'herbe à côté de Bill.

« Oui, ils viennent de me téléphoner. Ils ont retrouvé mon autoradio-lecteur CD dans un fossé à sec, juste à côté de l'endroit où j'avais garé ma voiture.

– Voilà qui est bizarre, dit Bill. Peut-être que quelqu'un a dérangé le voleur qui s'est contenté de le laisser tomber là.

– Ou c'est Mrs Witherspoon qui a fait le coup, histoire d'attirer un peu plus l'attention.

– Allons, Agatha, protesta Bill, c'est une vieille dame !

– Une vieille dame en excellente forme et extrêmement robuste, rétorqua Agatha.

– En tout cas, reprit Paul, je vais à Mircester identifier l'objet et le récupérer. Ça vous dit de m'accompagner ? »

Bill nota, avec un pincement de tristesse, que le visage d'Agatha s'illuminait : Paul était très séduisant et Bill n'avait pas envie de voir Agatha à nouveau malheureuse.

« Une minute ! Finissez de me raconter vos aventures dans cette maison hantée, intervint-il, ses yeux en amande luisant de curiosité. Est-ce qu'il y a eu encore du brouillard ?

– Non, plus du tout.

– Avez-vous un peu fouillé les parages ? Pas de cartouches de gaz ?

– Rien du tout.

– Des traces humides en dehors de la pièce où vous vous teniez ?

– Je n'ai pas regardé. Pourquoi ?

– La glace sèche n'a pas besoin d'être arrosée pour émettre une vapeur visible, elle condense les particules d'eau en suspension dans l'atmosphère environnante, ce qui produit une brume immédiatement visible. Cependant, si vous ajoutez de l'eau, cela accélère le processus et augmente significativement la quantité de brouillard.

– Donc vous pensez qu'il pourrait y avoir quelque chose là-dessous ? demanda Paul.

– Probablement pas. C'est drôle, mais la police, les deux fois où elle s'est déplacée, a elle aussi conclu qu'elle souhaitait uniquement se rendre intéressante. Il faut que j'y aille. »

À la grande irritation d'Agatha, il sortit sans peine des profondeurs du transat, d'un seul mouvement fluide. Bill était jeune, aux environs de la trentaine. Oh, Dieu, son incapacité à s'extraire de ce fauteuil était probablement le premier symptôme criant de la vieillesse.

Agatha le raccompagna à la porte.

« Faites attention, chuchota Bill.

— À quoi ? Aux revenants ?

— À ne pas retomber amoureuse.

— Pas de danger. D'ailleurs, il prétend qu'il est marié.

— Espérons que ça calmera vos ardeurs. »

Agatha battit en retraite à l'intérieur.

« Je vais aux toilettes », cria-t-elle. Elle grimpa rapidement l'escalier sans faire de bruit pour rafraîchir son maquillage.

« Cette fois, nous prenons ma voiture, déclara-t-elle à Paul en réapparaissant dans le jardin.

— Parfait, répondit-il en se relevant. Je pense que je vais m'acheter une vieille guimbarde pour circuler par ici. Je ferai plus attention à la belle à l'avenir. »

Et je parie que ce fichu engin a même un petit nom, pensa Agatha.

3

« J'aurais cru qu'ils garderaient votre lecteur CD pour analyse scientifique, s'étonna Agatha, filant sur la voie romaine en direction de Mircester.

– C'est un délit mineur, répondit Paul, ils ne vont pas se casser la tête. Je me demande si Mrs Witherspoon ne serait pas schizophrène.

– Qu'est-ce qui vous fait dire ça ?

– Quelques-uns des premiers rapports faisaient référence à des bruits de chocs, de heurts, de chutes. Les poltergeists sont des gens qui ont le don de télékinésie. Ils peuvent déplacer des objets à distance par simple effort mental. D'habitude, il s'agit d'enfants de trois ans, ou de quadragénaires, ne me demandez pas pourquoi. Une histoire de glande pinéale... Mais les schizophrènes aussi en ont la faculté.

– Vous avez repéré des médicaments qui pourraient étayer cette hypothèse, dans sa pharmacie ?

– Non, rien d'autre que des diurétiques, des antalgiques et des cachets pour la tension.

– Oh, bon, répliqua Agatha, enquête terminée. Il semble bien qu'elle ait tout bonnement voulu se rendre intéressante.

– Je n'en suis pas si sûr, répondit-il lentement. C'est une vieille dame assez peu sympathique, mais je n'aurais vraiment pas pensé qu'elle soit en mal d'attention. Elle m'a donné l'impression de très bien se suffire à elle-même. »

Tous deux se turent. Et si je l'invitais à dîner ? pensait Agatha. Un petit dîner romantique aux chandelles ? Les yeux qui se croisent au-dessus de la table... « Agatha, j'aimerais que nous soyons un peu plus qu'amis. Chère Agatha... »

« Eh, vous m'écoutez ? fit la voix de Paul, interrompant soudain ses rêves.

– Non. Vous disiez ?

– Ce soir... »

Ah, les grands esprits se rencontraient...

« Oui, ce soir ? demanda Agatha d'une voix un peu enrouée.

– Si vous êtes partante... Oh, je ne sais pas...

– Je suis partante pour tout ce que vous voudrez », répondit Agatha, dont les mains, crispées sur le volant, se firent soudain moites. Quand s'était-elle rasé les jambes pour la dernière fois ? Et les ongles de ses orteils étaient-ils correctement coupés ?

« Je pensais que cela pourrait valoir la peine de faire le guet près du cottage cette nuit. Si jamais il y a quelqu'un d'autre que Mrs Witherspoon derrière ces revenants, nous le verrons peut-être rôder autour de la maison. En fait, ça pourrait être excitant. Allez, dites oui, comme un chic type.

– Je ne suis pas un "type" », se rebiffa Agatha, que sa déception rendait irritable.

Pourquoi tous ces gars ne pouvaient-ils donc jamais se conformer au scénario qu'on leur avait concocté ?

Mais poursuivre l'enquête signifiait continuer à bénéficier de sa compagnie.

« Bon, d'accord, concéda-t-elle.

– Formidable ! Récupérons la radio et puis nous irons manger un morceau. Je vous invite. »

Le moral d'Agatha, qui avait sombré au plus bas, remonta en flèche.

Tandis que l'on emmenait Paul identifier son lecteur CD et signer les documents correspondants, Agatha demanda au sergent assis au bureau la permission d'utiliser les toilettes. Sitôt à l'intérieur du réduit carrelé de blanc et fortement parfumé au désinfectant, elle ouvrit son vaste sac à main et se mit à l'œuvre. Se débarrassant du maquillage si récemment appliqué, elle recommença tout le processus : nouvelle couche de fond de teint, poudre, rouge, fard à paupières. Puis elle s'aspergea libéralement de *Chypre Impérial* et regagna la réception. Où allaient-ils dîner ? Sûrement dans un endroit raffiné.

Paul finit par réapparaître, accompagné de Bill

Wong et d'une petite policière blonde que Bill leur présenta sous le nom de Haley.

« Je les ai invités à se joindre à nous, dit Paul gaiement. Bill a suggéré le Dog and Duck où on ne mange pas mal du tout. »

Agatha étouffa un soupir. Bill avait une conception désastreuse de la gastronomie.

Le Dog and Duck était l'un de ces vieux estaminets qui avaient échappé à l'engouement moderne pour l'hôtellerie chic au style pseudo-bistrot. Une table de billard envahissait tout un coin de la pièce. Des machines à jus de fruits scintillaient et clignotaient à travers la lumière tamisée et la fumée de cigarette. Des policiers en uniforme et en civil, ainsi que des inspecteurs, se pressaient au comptoir. Agatha consulta sans le moindre enthousiasme le menu copié à la craie sur un tableau noir. Lasagnes et frites, curry et frites, œufs, saucisses et frites, hamburger et frites, croquettes de poisson et frites, quiche et frites... Adieu la soirée romantique !

Bill s'informa auprès d'Agatha de divers résidents de Carsely ; le sujet épuisé, Agatha remarqua, à son grand agacement, que Paul semblait flirter avec Haley, laquelle se rengorgeait en gloussant.

Elle avait d'étroits yeux bleus dans une face de pleine lune et des cheveux qu'Agatha qualifia intérieurement de blond fadasse, mais y a-t-il un homme qui se soit jamais laissé rebuter par de tels détails ?

« C'est un vrai génie, ce Paul ! dit Haley. Il m'a

promis de venir faire un tour chez moi un de ces jours pour me donner un coup de main avec mon ordinateur.

– Oh, répliqua aigrement Agatha. Je croyais que vous étiez tous des virtuoses de l'informatique dans la police, de nos jours.

– Je maîtrise tout juste les bases, répondit Haley, en sortant un carnet. Là ! Donnez-moi votre adresse et votre numéro de téléphone. »

L'air aussi sombre l'un que l'autre, Agatha et Bill la regardèrent noter les renseignements et les faire vérifier par Paul.

« Vous avez quel âge ? lui demanda Agatha à brûle-pourpoint.

– Vingt-sept ans, gloussa-t-elle de nouveau. La vieillesse, quoi !

– Vous avez encore pas mal de chemin à faire avant d'atteindre mon âge ou celui de Paul, répondit Agatha d'un ton mielleux.

– C'est terrible, pour une femme, de vieillir, reprit Haley. Enfin, je veux dire, ce n'est pas pareil pour les hommes. Moi, je les préfère pas trop jeunes. Voilà notre dîner. »

C'était aussi détestable qu'Agatha l'avait prévu. Elle avait commandé du poisson et des frites, s'imaginant que même dans un pareil boui-boui, on ne pouvait pas rater un plat aussi simple, mais les croquettes étaient desséchées et les frites sortaient du congélateur. Avec un mélange d'horreur et de fascination, elle regarda Haley inonder ses lasagnes de ketchup et les attaquer avec toutes les apparences de la délectation. Bill et Paul avaient tous les deux choisi la formule saucisses-œufs-frites.

Rassasiée, Haley se laissa aller contre le dossier de sa chaise et soupira de satisfaction. « Fameux ! »

Elle jaugea Agatha du regard.

« Alors comme ça, il paraît que vous êtes une sorte de Miss Marple ? »

Agatha eut, une fraction de seconde, la vision de l'actrice qui jouait Miss Marple et elle commença à se sentir quasiment antédiluvienne.

« Oui, j'ai mené quelques enquêtes, répondit-elle.

— Vous êtes sur une piste, en ce moment ?

— Ça n'a rien donné, dit Agatha en repoussant son assiette. Nous étions censés nous occuper d'une maison hantée. »

Haley agrippa Paul par le bras, avec un cri d'orfraie.

« J'ai une peur bleue des revenants.

— Vous en avez déjà rencontré ? lui demanda Paul en souriant.

— Pas moi, mais ma grand-mère oui. Une fois, elle était dans un vieil hôtel des Highlands, en Écosse, elle s'est réveillée au milieu de la nuit et elle a vu un homme planté au pied de son lit.

— En kilt ? s'enquit Agatha, sarcastique.

— Oui, justement. Et il avait l'air terriblement féroce. Ma grand-mère a sorti une bible du tiroir de la table de nuit, elle l'a brandie et il a disparu.

– Oh là là ! s'exclama Paul. C'est terrifiant. Ça me rappelle une histoire que j'ai entendue... »

Et il se lança dans une série de récits fantastiques sur des revenants, tandis que Haley, toujours cramponnée à son bras, alternait gloussements et piaillements.

Enfin, au grand soulagement d'Agatha, Bill jeta un coup d'œil sur sa montre et annonça qu'il « devait y aller ». « Pas moi, claironna Haley, et le cœur d'Agatha s'alourdit de nouveau.

– Mais nous, si, déclara Paul fermement. Je suis vraiment enchanté d'avoir fait votre connaissance, Haley.

– Vous me ferez signe quand vous passerez dans les parages ?

– Je n'y manquerai pas. »

« Infect, ce dîner, commenta Agatha dans la voiture.

– N'est-ce pas ? De toute façon, nous ferions mieux de rentrer nous préparer pour notre veillée.

– À quelle heure voulez-vous partir ?

– Vers minuit.

– Vous croyez que c'est vraiment nécessaire ?

– Pourquoi pas ? Essayons toujours. Est-ce que Haley est la petite amie de Bill ?

– Pas encore, et ça pourrait bien ne jamais arriver, vu la manière dont vous vous êtes tenu ce soir.

– Oh, oh, seriez-vous jalouse, Agatha ?

– Ne vous faites pas d'illusions, Don Juan. Vous n'avez pas laissé l'ombre d'une chance à Bill.

– C'est elle qui ne lui a pas laissé une seule chance. Ne nous disputons pas. À mon avis, nous devrions nous garer à l'écart du village et mettre des vêtements foncés. »

Aux approches de Carsely, Agatha jeta un coup d'œil à sa montre. Vingt-trois heures. Juste le temps d'avaler un morceau – elle avait à peine touché son poisson et ses frites – et de se changer.

Elle prit la ferme résolution de cesser de se torturer avec des essayages à n'en plus finir. L'heure était venue de mûrir un peu et de passer à autre chose. S'habiller pour plaire aux hommes, ce n'était que se condamner à toujours douter de soi, à toujours se sentir mal à l'aise. Elle dévora un curry surgelé réchauffé au micro-ondes, sans mesurer une seconde combien il était paradoxal de faire, comme elle, la fine bouche au restaurant, quand on était pratiquement incapable de se cuisiner un repas comestible. Après quoi, elle enfila un pantalon et un gilet noirs, des chaussures plates et se maquilla très légèrement. Quand Paul sonna, elle était prête.

L'espace d'un instant, Paul songea que cette tête de lard d'Agatha ne manquait pas de sex-appeal. Elle avait une jolie peau, une bouche généreuse, un buste et des hanches tout à fait prometteurs. Mais il se concentra sur la nuit qui les attendait.

Par bonheur, il faisait chaud et le ciel était clair. Comme Agatha, il était tout de noir vêtu.

« J'espère que vous avez un couvre-chef quelconque, remarqua-t-elle. Votre crinière blanche se voit à trois kilomètres à la ronde.

– J'ai tout prévu. Il va falloir que nous reprenions votre voiture, je conduis la mienne au garage demain. J'ai commandé un autre toit décapotable, mais je vais aussi acheter une voiture pour circuler par ici, une vieille guimbarde qui pourra être vandalisée sans que j'aie le cœur brisé.

– Vous devriez faire poser une alarme dans votre coupé, conseilla Agatha.

– C'est sans doute ce que je vais faire. »

Il plaça un gros sac sur la banquette arrière et s'installa devant, à côté d'elle.

« Qu'est-ce qu'il y a dans ce sac ? demanda-t-elle.

– Des vivres et des jumelles. La nuit sera longue. »

« Ralentissez, lui enjoignit-il aux abords de Hebberdon. Cette entrée de ferme sous les arbres sera parfaite pour laisser l'auto. Allez-y en marche arrière. »

Agatha s'y engagea tout droit.

« Vous ne savez donc pas que les femmes, ça va toujours de l'avant, jamais à reculons ? »

Ils descendirent de voiture.

« On devra traverser le village pour arriver à sa maison, dit Paul, mais tout le monde doit dormir. »

Ce qui semblait bien être le cas. Ils passèrent devant des rangées de cottages obscurs et silencieux. Même au café, on ne voyait aucun signe de vie.

« Il y a un champ en face avec une haie assez haute, dit Paul. Installons-nous là pour monter la garde. »

Ils se faufilèrent par une brèche dans la haie.

« Le sol devrait être sec, dit Paul. Regardez, il y a un grand trou entre les branches juste en face de chez elle. Mettons-nous là, nous aurons un excellent champ de vision. »

Le cottage de Mrs Witherspoon était plongé dans l'obscurité. Une chouette hulula. Paul ouvrit son sac et en tira une bouteille de whisky pur malt et deux verres.

« Ça vous dit ?

— Je ne devrais peut-être pas. C'est moi qui conduis.

— D'ici demain matin, les effets auront eu tout le temps de se dissiper. Allez…

— Bon, mais juste un tout petit. Avez-vous déjà constaté combien les gens, en général, se plaisent à vous inciter à boire ? Et cela ne vaut que pour l'alcool. Si vous dites que vous n'aimez pas le poisson, personne n'insiste : "Mais si, mais si, prenez-en un peu, pourquoi pas la moitié d'un filet ? Allez, une petite croquette de poisson ?" Non, c'est toujours "un petit verre", comme les vendeurs de drogue.

– Il suffit de dire non, répondit sereinement Paul. Une cigarette ?

– Vous fumez ! s'exclama Agatha avec le ravissement d'un membre d'une espèce en danger qui en rencontre un autre.

– De temps en temps. »

Ils sirotèrent leur whisky et tirèrent sur leurs cigarettes, les yeux rivés sur le cottage. Rien ne bougeait, tout était calme.

« Qu'est-il arrivé à votre couple ? demanda Paul, tout en lui versant une seconde rasade.

– Il s'est dissous de lui-même. James était un célibataire endurci dans l'âme. Nous ne nous sommes pas entendus. Et le vôtre, avec la prétendue Juanita ?

– Eh bien, elle passe pas mal de temps en Espagne et moi, je reste ici, mais nous nous entendons plutôt bien quand elle est là.

– Vous avez des enfants ?

– Non, et vous ?

– Non, aucun.

– Et qu'est-ce qui vous a attirée dans les Cotswolds ?

– C'est joli. Vous pouvez sans cesse regarder autour de vous, c'est toujours joli. Londres a beaucoup changé, la crasse et la violence s'installent. Évidemment, quand j'y vais pour affaires, c'est ce qui ne va pas qui me saute aux yeux, et peut-être que si j'y étais restée, je n'y prêterais pas tellement attention. Parfois, on s'ennuie un peu à Carsely et je perds patience, mais il finit néanmoins par se passer quelque chose. On s'entretue tout autant ici que dans les grandes villes.

– Et côté hommes ?

– Eh bien quoi, les hommes ?

– Je veux dire, avez-vous un amant ?

– Non, répliqua sèchement Agatha.

– Et pourtant au village, vous passez apparemment pour une sorte de femme fatale des Cotswolds !

– Il y a des bonnes femmes à Carsely qui n'ont rien d'autre à faire que d'affabuler sur mon compte. Je suis juste une quinqua vieux jeu. »

Il lui remplit encore une fois son verre. Il vint vaguement à l'esprit d'Agatha qu'elle devrait protester, mais le whisky l'apaisait et la réchauffait ; de plus, elle avait toujours affirmé qu'elle tenait très bien l'alcool.

« Je ne dirais pas ça. »

Un bonnet de laine sombre cachait ses cheveux blancs. Ses yeux noirs luisaient dans l'obscurité. Il se pencha en avant et, à l'immense surprise d'Agatha, lui imprima un baiser brûlant sur la bouche. Pétrifiée, elle resta à le regarder. Il inclina de nouveau la tête. Un rameau craqua.

« Ça vient de l'autre côté de la route », murmura Paul en se redressant.

Agatha voulut se relever, trébucha et s'étala. La tête lui tournait. « Chut ! » souffla Paul en rangeant prestement bouteille, verres et jumelles dans son sac. Il la remit sur ses pieds. « Allons voir là-bas. »

Il se glissa avec agilité à travers le trou dans la haie. Agatha se faufila gauchement à sa suite. En face du cottage, une poubelle métallique attendait les éboueurs. Agatha fonça dessus. La poubelle se renversa avec fracas et une lumière s'alluma au premier étage.

« Plus rien à faire ! constata Paul en agrippant Agatha. Courez ! »

Le bras autour de sa taille pour la soutenir, il l'entraîna au pas de charge à travers le village, jusqu'à l'endroit où ils avaient garé sa voiture. Il lui prit les clefs et ouvrit. Malgré son ébriété, Agatha remarqua qu'il avait eu la présence d'esprit de rapporter son sac.

« Je conduis », dit-il.

Il démarra doucement et n'accéléra qu'après s'être suffisamment éloigné des maisons.

« Je n'aurais pas dû tant boire, se désola Agatha.

— C'est de ma faute, assura-t-il. Je suis sûr qu'il y avait quelqu'un là-bas.

— Peut-être n'était-ce qu'un mouton ou un renard.

— Pas impossible. Allez dormir, nous réessaierons une autre fois. »

« Ainsi, vous croyez qu'il ment quand il se dit marié ? s'enquit Mrs Bloxby le lendemain. Qu'est-ce qui vous fait penser ça ?

– Eh bien, il m'a embrassée, avoua Agatha en se trémoussant comme une collégienne confuse.

– *Mrs Raisin* ! Vraiment ! Vous m'avez raconté que vous aviez bu tous les deux. Le fait d'être marié ne l'empêche pas nécessairement de vous faire des avances. Ne me dites pas qu'aucun homme marié ne vous en a jamais fait par le passé ? Vous avez sûrement assisté à un certain nombre de réceptions trop bien arrosées quand vous travailliez dans la communication.

– Oui, mais c'était à Londres ; ici, c'est un village.

– Et alors ? Depuis quand est-ce que le simple fait de vivre dans un village suffit à sanctifier un homme marié ? Il est parfois très dangereux de prendre ses désirs pour des réalités. D'ailleurs, avant de vous quitter, est-ce qu'il vous a encore embrassée ou tenu des propos tendres ?

– No-on. Mais nous venions d'avoir une belle frousse tous les deux quand j'ai renversé la poubelle. Mais peu importe, où est donc cette mystérieuse épouse ?

– Sans doute en Espagne, comme il vous l'a dit.

– Vous gâchez tout, remarqua Agatha avec humeur.

– J'ai de l'affection pour vous. Je n'ai pas envie qu'on vous fasse souffrir.

– L'amour ne va jamais sans souffrance, soupira Agatha.

– Bon, écoutez-moi maintenant ! Vos perpétuels

coups de foudre, c'est littéralement votre drogue. Votre problème, c'est que vous ne vous aimez pas suffisamment et qu'il vous reste bien du chemin à parcourir dans ce domaine. Dès que votre cerveau se libère d'une obsession ou d'une autre, vous cherchez désespérément quelque chose pour combler le vide.

– Vous êtes faite pour tenir le courrier du cœur.

– Je suis sérieuse. Oh, n'en parlons plus, je ne voulais pas vous chagriner. Je dirai une prière pour vous. »

Embarrassée, Agatha s'agita gauchement sur sa chaise. Mrs Bloxby ne lui faisait presque jamais ce qu'Agatha appelait « le coup du Bon Dieu ».

Tout de même, prétendre qu'elle essayait de tomber amoureuse ! Ridicule !

Mais quand Agatha quitta la femme du pasteur, elle sentit le premier souffle glacé de la réalité s'insinuer dans son cerveau. Mieux valait oublier ce baiser.

Les heures s'écoulaient au compte-gouttes. Elle commença à s'interroger sur le mariage de Paul. Elle n'avait jamais pénétré dans son cottage. Peut-être y avait-il des photos du couple, des objets espagnols par-ci, par-là. Et si elle allait lui rendre visite ? Pourquoi pas ? Il avait bien parlé de rééditer l'expédition.

Elle nourrit ses chats, déjeuna de quelques sandwiches et prit la direction du cottage voisin.

Paul parut surpris de la voir, mais l'invita à entrer.

« Des nouvelles ? s'informa-t-il.

– Aucune. Je me demandais quand vous vouliez réessayer.

– Je ne sais pas, répondit-il avec une certaine réticence. Un café ?

– Volontiers. »

Il passa dans la cuisine. Agatha inspecta la pièce. Aucune photographie. Des bibliothèques débordant de livres, un bon fauteuil de cuir à oreillettes, un autre recouvert de chintz comme le sofa, un bureau, qui supportait un ordinateur et une imprimante, un joli tableau à l'huile représentant une scène de campagne accroché au-dessus de la cheminée, le tout parfumé d'une légère odeur de tabac. Ce que James aurait détesté, songea Agatha, lui qui n'avait jamais pu s'habituer à ce qu'elle fume dans la maison. Elle se détendit. C'était bien un intérieur de célibataire, elle en était convaincue.

Paul revint muni d'un plateau et de tasses de café.

« Je sais que vous ne prenez pas de lait, dit-il. Je ne peux pas bavarder longtemps, j'attends un coup de téléphone.

– Un contrat ? »

Il eut une hésitation.

« Oui, on peut dire ça comme ça », convint-il enfin.

Un silence gêné s'installa. Agatha but son café

à petites gorgées tout en se creusant la tête pour trouver un sujet de conversation.

Le téléphone sonna.

« Vous permettez… »

Agatha se leva.

« À bientôt », dit-elle.

Elle s'en alla avec un sentiment de vide intérieur. Mrs Bloxby avait raison. Ce baiser ne signifiait rien. Néanmoins, le salon de ce cottage ne contenait pas le moindre indice que Paul fût marié.

Agatha passa les deux jours suivants à traîner sans but. Le temps lui paraissait s'écouler avec une lenteur infinie. Paul ne donna pas signe de vie. Elle essaya de lui téléphoner, mais il ne décrocha pas. Quand, le samedi soir, elle prit le chemin du presbytère pour assister à une réunion de la Société des dames, elle fut heureuse d'avoir trouvé une occupation.

Mrs Bloxby ouvrit la séance. Miss Simms lut le dernier compte rendu et Agatha glissa dans un rêve éveillé où Paul Chatterton lui déclarait sa flamme. Elle s'en arracha brutalement, entendant qu'on lui adressait la parole.

« Le buffet ? disait Mrs Bloxby, les yeux fixés sur elle. La levée de fonds pour l'Association Alzheimer ?

— Comment ? demanda Agatha.

— Ça devrait pourtant vous intéresser, ricana

Mrs Davenport, suggérant aimablement qu'Agatha présentait les symptômes de cette pathologie.

– Désolée, répondit Agatha. J'avais l'esprit ailleurs.

– Nous nous allions à la Société des dames d'Ancombe le 10 juin pour une vente de charité. Nous avons besoin que quelqu'un se charge du buffet.

– Entendu, je m'en occuperai, promit Agatha en remerciant sa bonne étoile de lui avoir fait gagner assez d'argent pour s'assurer les services d'un traiteur convenable.

– Parfait ! »

La réunion reprit son cours et Agatha replongea dans ses rêves.

À la fin de la soirée, quand on servit le thé et les gâteaux, Mrs Davenport fondit sur Agatha : « Juste une petite information, à toutes fins utiles, à propos de Mr Chatterton. Il est marié, vous savez.

– À ce qu'il dit. Mais c'est seulement pour éviter que tous les vieux débris du village ne s'accrochent à ses basques, riposta Agatha.

– Les débris de votre espèce, par exemple ? » susurra Mrs Davenport en s'éloignant.

Agatha l'observa d'un œil de basilic. Mrs Davenport était retournée s'empiffrer des délicats petits canapés au jambon de Mrs Bloxby. Agatha se faufila dans la cuisine, où une nouvelle fournée de sandwiches et de gâteaux attendait sur la table qu'on les emporte dans la pièce voisine. Elle ouvrit le frigidaire, inventoria le contenu et dénicha une botte de piments rouges. Prestement, elle les débita en tranches dont elle garnit subrepticement autant de canapés qu'elle le put. Après quoi, elle apporta l'assiette au salon.

« Ce n'était pas la peine, lui dit Mrs Bloxby. J'en ai fait trop. Elles sont toutes passées aux gâteaux.

– Ce serait bien dommage de laisser perdre de si bonnes choses, dit Mrs Davenport en s'approchant d'un air désinvolte, précédée de son buste massif qui lui donnait l'allure d'une figure de proue. Je vais en grignoter un ou deux. »

Et là-dessus, elle en empila six sur son assiette.

Agatha se glissa derrière les autres dames. Il restait deux canapés au piment. Elle les escamota dans son sac.

Mrs Bloxby se retourna, alarmée, juste à temps pour voir Mrs Davenport, cramoisie, suffocante et crachotante, tituber à travers la pièce. L'assiette et les sandwiches qu'elle n'avait pas encore avalés gisaient sur le plancher. L'un d'entre eux s'était ouvert, révélant les piments. Tandis que les autres dames se précipitaient en quête d'un verre d'eau pour Mrs Davenport, Mrs Bloxby chercha Agatha des yeux.

Celle-ci s'était volatilisée.

Le dimanche suivant, Agatha estima qu'il était grand temps de renouer avec la messe. Le fait que Paul puisse y assister n'avait en rien pesé sur sa décision, songeait-elle : par loyauté envers Mrs Bloxby, il fallait qu'elle s'y montre de temps à autre, elle lui devait bien ça.

Le ciel était bas et chargé, la pluie menaçait. Elle revêtit un tailleur de laine moelleuse, passa son imperméable – un Burberry –, s'arma de son parapluie et se dirigea vers l'église dont les cloches carillonnaient sous le ciel menaçant.

L'édifice était comble. Le gouvernement avait beau dire que l'épidémie de fièvre aphteuse était sous contrôle, des empilements de carcasses fumaient et brasillaient dans toute l'Angleterre, et, comme toujours en temps d'adversité, les gens étaient assidus aux offices religieux.

Agatha réussit à se glisser sur un banc près du chœur et le regretta immédiatement. Si elle était restée au fond, elle aurait pu s'assurer de la présence de Paul. Les regards furibonds de Mrs Davenport, qui se tenait juste derrière elle, l'obligèrent à la longue à cesser de se démancher le cou.

Tandis que les autres fidèles chantaient des cantiques, récitaient des prières ou écoutaient le sermon, Agatha Raisin, tout à ses rêves, faisait annoncer ses fiançailles avec Paul Chatterton dans le carnet du *Times* – où, avec un peu de chance, James Lacey les verrait.

La cérémonie s'acheva enfin. Agatha se leva.

« J'ai deux mots à vous dire, mugit Mrs Davenport.

– Pas maintenant », coupa Agatha, se frayant

un chemin dans la nef. Elle apercevait les cheveux blancs de Paul devant elle.

Elle sortit de l'église, et se pétrifia : Paul conversait avec le pasteur, tout en enlaçant la taille d'une jolie jeune femme menue, aux longs cheveux noirs.

Réalisant qu'elle bloquait le passage, Agatha poursuivit à regret. Ce n'était pas possible. Ou bien ? Elle n'avait soudain plus la moindre envie de savoir. Un petit attroupement s'était formé autour de Paul et de sa compagne. Agatha voulut s'éloigner discrètement, mais fut repérée par Paul, qui dépassait tout le monde d'une tête, et qui la héla par son prénom.

On lui fit place et Agatha s'avança lentement.

« Agatha, voici ma femme, Juanita. Chérie, voici ma voisine, Agatha Raisin.

– Enchantée », fit Agatha avec un sourire de crocodile.

Juanita était jeune, à peine la trentaine sans doute, ce qui était même carrément juvénile, aux yeux d'Agatha et de ses contemporaines. Sa peau dorée resplendissait de santé et ses grands yeux bruns étaient frangés de longs cils épais. La seule consolation – assez maigre – qu'Agatha put trouver fut que sa chevelure noire manquait de finesse et de soyeux. Elle portait un petit tailleur noir bien coupé qui mettait en valeur son buste généreux et sa taille de guêpe.

« Vous comptez rester longtemps ? » demanda Agatha.

Juanita rit.

« Je pense que le moment est venu de rester aussi longtemps que possible avec mon mari, répliqua-t-elle, avec un accent chantant.

– J'habite juste à côté, se força à articuler Agatha. N'hésitez pas à m'appeler si vous avez besoin de quoi que ce soit. »

Juanita la remercia et Agatha s'en retourna chez elle, avec des pieds de plomb et une petite voix dans la tête qui lui rabâchait : « Stupide vieille perruche ! »

Elle fouillait son sac à la recherche de ses clefs quand on prononça, dans son dos : « Ben, tu en fais une tête ! Tu reviens d'un enterrement ? »

Agatha pivota sur elle-même. Roy Silver, son ancien employé qui travaillait maintenant pour une grosse agence de communication, était planté derrière elle.

« Roy ! s'exclama Agatha, plus charmée encore de le voir qu'à l'ordinaire. Tu viens me faire une petite visite ?

– Juste pour aujourd'hui, fit-il en lui plaquant un petit baiser sur la joue.

– Entre et mets-toi à l'aise. »

Roy la suivit dans la cuisine.

« Je devrais utiliser plus souvent le salon, observa Agatha. Je nourris les chats et ensuite, nous nous y installons pour boire un verre. Tu es superbe. »

La silhouette dégingandée de Roy était en effet un soupçon plus présentable qu'à l'accoutumée. Il arborait un pull-over sur une chemise à carreaux, un jean, et il était passé récemment chez le coiffeur.

« En fait, constata Agatha, en se penchant pour remplir deux bols, tu fais tout à fait respectable. Pas de boucles d'oreilles, pas de clous. Tu changes de style ?

– Je bosse pour une firme de produits alimentaires pour bébés et ils plaisantent pas là-dessus.

– Et pas d'imperméable. Tu es venu en voiture ?

– Oui, il n'y a pas trop d'embouteillages, le dimanche. Où en sont-ils avec la fièvre aphteuse ?

– Ça continue, fit Agatha en se redressant. Viens à côté. Qu'est-ce que tu prendras ?

– Gin-tonic. Un petit, je conduis.

– Entendu. Assieds-toi, je vais chercher de la glace. »

Une fois les verres pleins, Agatha reprit :

« Alors, qu'est-ce qui t'amène ?

– Je vais être honnête avec toi...

– Ça te changera.

– Tu acceptes toujours des missions occasionnelles ?

– De temps en temps. De quoi s'agit-il ?

– Dunster and Braggs, ça te dit quelque chose ?

– La chaîne de grands magasins. Évidemment ! Tout le monde connaît.

– Ils lancent une nouvelle collection, Mode Jeune. Le chef a besoin de tes idées.

– Je vois ce que ça veut dire, répondit Agatha sans enthousiasme. Comme les vêtements Mr Harry.

Du bas de gamme, dans un coton bon marché, entièrement fabriqué à Taïwan dans des conditions scandaleuses.

– Tu seras très bien payée. Le patron souhaiterait que tu débutes le plus tôt possible.

– Laisse-moi juste le temps de préparer ma valise, et je pars à Londres avec toi.

– Je ne pensais pas que ce serait aussi facile, s'étonna Roy, en la dévisageant. Qu'est-ce qui se passe ?

– Je m'ennuie, c'est tout.

– Pas de meurtres ?

– Pas un seul. Oh, il y a bien eu une histoire de maison prétendument hantée, mais finalement c'était seulement une vieille dame qui voulait qu'on s'occupe d'elle. Bon, je vais faire ma valise. »

Agatha s'absenta pendant un mois et cette fois elle emmena ses chats. Paul décrocha un petit contrat dans une entreprise de Milton Keynes, ce qui l'obligeait à partir tôt le matin et à rentrer tard le soir. Mrs Bloxby vint rendre visite à Juanita, c'était l'un de ses devoirs paroissiaux, et trouva cette dame extrêmement mécontente de son sort.

« C'est mortel ici, gémit Juanita. Je veux retourner à Madrid. Paul ne manquerait sûrement pas de travail là-bas. J'aurais dû épouser quelqu'un de mon âge, un Espagnol. Ma mère me l'avait bien dit ! Si seulement je l'avais écoutée !

– Mr Chatterton va bientôt finir son contrat, et

alors il pourra sortir avec vous. Vous pourriez aller passer quelques jours à Londres.

– Je n'ai pas envie d'aller à Londres. Je veux retourner à Madrid. »

Dehors, la pluie tambourinait sur le sol et formait des mares dans l'herbe.

« À Madrid, il y a du soleil. »

Mrs Bloxby fit de vains efforts pour la persuader de se charger du buffet si cavalièrement déserté par Agatha. Tout ce que daigna répondre Juanita fut que cela l'assommait trop.

Trois semaines plus tard, elle se présenta au presbytère, sa valise à la main, et pria Mrs Bloxby de la conduire à la gare. Mrs Bloxby l'implora en vain d'attendre au moins que Paul soit rentré de son travail. Juanita s'entêta : sa décision était prise ; si Paul voulait la retrouver, il savait où la chercher.

Mrs Bloxby l'emmena donc à la gare, la mit dans le train de Londres, et, avec un geste d'adieu, la regarda partir. Et voilà qui va ressusciter tous les rêves de Mrs Raisin, pensa-t-elle avec agacement. Tout ce que j'espère, c'est que Mr Chatterton va se résoudre à suivre son épouse. Mais le soir venu, Paul l'écouta raconter les événements en silence, l'air à la fois furieux et résigné.

« Pourquoi n'allez-vous pas la rejoindre ? suggéra Mrs Bloxby.

– Ma femme veut absolument habiter chez sa mère avec ses trois frères. Après notre mariage, nous avons eu notre propre appartement à Madrid, puis nous avons déménagé à Londres. Elle n'a fait aucun effort pour s'adapter et ne cessait d'inventer des prétextes pour retourner là-bas. Au début, j'y allais très souvent, mais je n'ai jamais pu obtenir qu'elle quitte de nouveau leur maison de famille. Elle a trente-deux ans, mais ils la traitent tous en enfant gâtée, et par conséquent elle se comporte en enfant gâtée. La dernière fois, elle avait entendu dire que la campagne anglaise était jolie, alors pourquoi ne pas nous y installer ? J'ai donc acheté ce cottage, et voilà le résultat. Au diable les femmes ! Au fait, où est Agatha ?

– À Londres, elle a du travail.

– J'irai peut-être y passer une journée. Vous savez où la joindre ?

– Non. » répondit la femme du pasteur, priant intérieurement Dieu de lui pardonner.

Agatha lui avait indiqué, au téléphone, l'adresse de l'appartement qu'elle avait loué dans une résidence services.

Agatha se réjouissait d'être de retour. Sa conscience, qui d'ordinaire ne la tourmentait guère, l'avait néanmoins tiraillée avec un entêtement désagréable : elle savait pertinemment que les vêtements dont elle faisait la promotion étaient de mauvaise qualité et mal conçus. L'été était enfin arrivé et le taxi qui la ramenait de la gare de Moreton-in-Marsh roulait sous la voûte de verdure qui ombrageait la route de Carsely.

Elle libéra les chats, emprisonnés dans leurs cages de voyage, les lâcha dans le jardin ensoleillé, respira à pleins poumons l'air empli de douceur et rentra pour défaire ses bagages. Au moins, le temps qu'elle avait passé à Londres l'avait guérie de son penchant pour Paul Chatterton. Après tout, Juanita serait peut-être amusante à fréquenter, et en tout cas, cela changerait des vieilles dindes comme Mrs Davenport.

La coûteuse résidence où elle s'était installée – ses tarifs exorbitants tenaient à ce qu'elle acceptait les animaux domestiques – s'était enorgueillie d'une salle de sport dont Agatha avait largement profité. Elle avait retrouvé une taille fine et un ventre plat – enfin, presque. Elle troqua son tailleur pour un short bleu ciel et une chemisette en vichy marine et blanc, puis se dirigea vers l'épicerie-bureau de poste pour renouveler ses provisions.

En payant ses emplettes, une pile de journaux, posée sur le comptoir, attira son regard. Sur le premier exemplaire s'étalait ce gros titre :

LA PROPRIÉTAIRE D'UNE MAISON HANTÉE
RETROUVÉE MORTE

Agatha acheta un numéro et se dépêcha de rentrer. Elle rangea ses courses et s'installa à la table de la cuisine pour lire l'article.

La fille de Mrs Witherspoon l'avait découverte au pied de l'escalier, le cou brisé. Carol

Witherspoon, âgée de soixante-sept ans, domiciliée à Holm Cottage, Ancombe, s'était alarmée, à ses dires, de ne pas recevoir l'habituel coup de téléphone de sa mère, qui l'appelait tous les vendredis. Comme elle avait une clef de la maison, elle était venue aux nouvelles et avait trouvé la vieille dame sans vie. Mrs Witherspoon avait signalé à plusieurs occasions à la police que sa maison était hantée.

Agatha repoussa le journal et s'absorba dans une profonde méditation. Elle se souvenait que l'escalier était garni d'un tapis et que les marches n'étaient pas très hautes. Bien sûr, quelque chose, ou quelqu'un, pouvait l'avoir terrifiée au point de lui faire perdre l'équilibre. Mais même de cette façon, comment avait-elle pu se briser la nuque ? Elle n'avait pas précisément l'air de souffrir de la maladie des os de verre. Son dos était droit comme un i.

On sonna à la porte. Agatha alla ouvrir et ses yeux plongèrent directement dans les yeux noirs de Paul Chatterton.

« Oh, c'est vous, murmura-t-elle. Entrez donc. »

Elle regarda derrière lui.

« Mais où est votre femme ?

— Repartie en Espagne.

— Oh ! »

Agatha le précéda dans la cuisine. Il remarqua sans y prêter trop d'attention qu'elle avait de longues jambes lisses, sans la moindre varice apparente.

« Vous avez maigri, constata-t-il.

– Il y avait une salle de sport dans la résidence, j'en ai profité aussi souvent que possible. Un café ?

– Vous avez oublié que je préfère le thé. »

Agatha brancha la bouilloire électrique.

« Voulez-vous me rendre un service, Paul ? Juste avant mon départ, j'ai fait l'acquisition de quatre fauteuils de jardin convenables. Ils sont empilés dans l'abri, voici la clef. Pourriez-vous en sortir deux ?

– Bien sûr. » Il prit le trousseau et passa au jardin, où les chats l'accueillirent avec des manifestations de joie exubérantes.

Agatha prépara du thé pour lui, du café pour elle et porta le tout dehors, où Paul avait placé deux sièges confortablement capitonnés.

« Avez-vous eu le temps de lire l'article sur Mrs Witherspoon ? demanda-t-il. Ça me paraît suspect.

– À moi aussi, répondit Agatha, envahie d'un bonheur subit. Que faisons-nous ? »

4

La conscience d'Agatha Raisin la pressait de tenir Paul à distance momentanément. Mais son esprit, lui, exultait de le revoir. Pas un instant elle ne reconnaîtrait craindre la solitude. Elle se considérait avec fierté comme une femme totalement indépendante. Tout ce qu'elle savait, c'était qu'elle était ravie qu'il soit revenu, ravie que sa femme soit retournée en Espagne, et ravie de reprendre l'enquête avec lui.

« Le problème, énonça Paul, est de décider par où nous commençons.

– Il y a bien sa fille, répondit Agatha. Elle habite à Ancombe, ce n'est pas très loin d'ici. Mais la mort de sa mère est encore trop récente, nous ne pouvons pas aller la trouver si tôt.

– Je me demande quand est l'enterrement. Ce serait intéressant de voir qui viendra y assister. Quant à la fille, elle n'était pas tellement attachée à sa mère, une visite de notre part ne risque guère de la choquer ou de la bouleverser. Nous pouvons simplement nous présenter comme des amis de sa mère, qui souhaitent lui dire adieu.

– C'est vrai. Je vais chercher l'annuaire.

– Mieux vaut nous rendre sur place.

– Certes, mais pour ça, il nous faut son adresse. »

Agatha revint quelques minutes plus tard.

« Voilà : 4 Henry Street. Je connais la rue. Ce sont des logements sociaux, à l'autre bout du village.

– Battons le fer pendant qu'il est chaud... Allons-y.

– Il faut que je me change, d'abord.

– Dommage, murmura-t-il en lorgnant ses jambes.

– Paul, seriez-vous dragueur ?

– C'était juste un commentaire appréciateur. »

Agatha monta se changer. Elle commença par choisir une jupe longue, se souvint alors du coup d'œil de Paul sur ses jambes, la troqua pour une courte, s'avisa que cela pourrait passer pour un encouragement, remit la jupe longue, jugea qu'elle ne l'avantageait pas assez, opta en dernier recours pour une robe de lin bleu mi-longue, refit son maquillage et finit par descendre.

« Il vous en a fallu du temps ! protesta Paul. J'ai failli monter vous chercher.

– Eh bien, me voilà, répondit Agatha, rougissant légèrement sous son regard.

– Allons-y, alors. »

La plupart des maisons de la cité avaient été rachetées par leurs occupants. Certains d'entre eux, désireux de marquer leur ascension sociale, les avaient enjolivées de « vitraux » et de frontons de style George III. Le numéro 4, à la différence de ses voisins, semblait négligé. Le jardin était envahi de mauvaises herbes, porte et fenêtres auraient eu bien besoin d'une nouvelle couche de peinture.

Paul appuya sur la sonnette, constata qu'elle ne fonctionnait pas et frappa à la porte. Une grande femme osseuse aux cheveux gris, qui dégageait un fort parfum de whisky, leur ouvrit. Ses yeux larmoyants d'un bleu délavé étaient bordés de rouge.

« Qu'est-ce que vous voulez ? s'enquit-elle.

— Nous étions des amis de votre défunte mère, répondit Paul. Nous aurions souhaité savoir si vous pouviez nous indiquer l'heure de l'enterrement, afin de lui dire un dernier adieu.

— Je ne sais pas. Demandez à Harry, c'est lui qui s'occupe de tout.

— Qui est Harry ?

— Mon frère.

— Où pouvons-nous le joindre ?

— Oh, entrez, je vais vous donner son adresse. Il habite à Mircester, je ne l'ai pas vu depuis des années. »

Ils pénétrèrent à sa suite dans un salon défraîchi. Agatha, à qui rien n'échappait, repéra une bouteille de whisky et un verre mal dissimulés derrière une chaise. Carol s'approcha d'une table sous la fenêtre, fouilla dans une pile de paperasses et finit par mettre la main sur un carnet d'adresses.

« Ah, voilà. 84, Paxton Lane, annonça-t-elle en griffonnant l'adresse sur un bout de papier qu'elle tendit à Paul.

– Quand avez-vous vu votre mère pour la dernière fois ? lui demanda-t-il.

– Vous voulez dire avant de la retrouver morte ?

– Exactement.

– Le samedi d'avant. J'y allais tous les samedis, Dieu sait pourquoi. Tout ce que j'y gagnais, c'était une bordée d'insultes. Vous croyez que Harry allait la voir, lui ? Jamais de la vie ! Il s'en souciait pas pour un sou, et pourtant elle lui a tout laissé ! »

Carol se mit à pleurer. Ses larmes ruisselaient sur ses joues en ravinant son épaisse couche de maquillage. Ils patientèrent dans un silence embarrassé ; enfin, elle se moucha et s'essuya les yeux.

« Maman ne m'a jamais pardonné d'être partie, dit-elle. Elle voulait que je reste et que je continue à lui servir d'esclave. Eh bien, je me suis pas laissé faire !

– Et les revenants dont votre mère se plaignait, vous ont-ils déjà fait des misères aussi, par le passé ?

– Jamais. Je pense qu'elle a inventé cette histoire pour me forcer à retourner vivre avec elle. Tout ça me rend malade. Et dire qu'il faudra assister à l'enquête…

– Quand cela ? demanda Paul.

– Demain matin à dix heures à Mircester, nous voyons le coroner. Comment ça se fait que vous soyez des amis à elle ? Elle n'en avait pas.

– Nous lui avions proposé de l'aider à se débarrasser de son fantôme.

– Eh bien, vous êtes des imbéciles. Il n'y avait pas de fantôme. C'était ma mère, Dieu ait pitié de son âme, mais c'était une sale vieille garce. »

« Donc, nous saurons où aller demain, dit Paul. Il sera intéressant de voir qui sera présent chez le coroner.

– Nous n'allons pas interroger ce Harry, maintenant ?

– Il sera là demain.

– Mais nous ne pourrons pas forcément lui parler.

– Il est peut-être à son travail.

– Avec sa mère qui vient de mourir ? Oh, bon, si vous avez mieux à faire…

– Ne boudez pas. Allons-y, puisque vous y tenez. »

« Il doit avoir des moyens bien supérieurs à ceux de sa sœur, pour arriver à se loger ici, commenta Paul tandis qu'Agatha se garait dans Paxton Lane. Ces petits bijoux de maisons datent tous du XVIIe siècle.

– Nous aurions dû nous renseigner sur son métier, juste au cas où il ne serait pas chez lui.

« – Trop tard maintenant. Venez. »

Les maisons ne possédaient pas de jardin de devant, seulement des courettes pavées, mais toutes étaient agrémentées de grands pots de fleurs aux couleurs vives.

Paul sonna. Un rideau frémit. La porte s'entre-bâilla au bout d'un instant.

« Mr Harry Witherspoon ? s'enquit Paul.

– Oui. Et vous, qui êtes-vous ?

– Nous étions des amis de votre mère. Nous voudrions assister à son enterrement. »

Il était d'une stature étonnamment faible, en comparaison de sa mère et de sa sœur, toutes deux de très grande taille. Il avait une épaisse chevelure grise et un visage rond envahi par la couperose. Sa lèvre supérieure s'ornait d'une petite moustache qui ressemblait fort à une brosse à dents. Ses yeux gris étaient empreints de méfiance.

« L'enterrement aura lieu vendredi, répondit-il. Église Saint-Edmond à Towdey. Onze heures. Ni fleurs ni couronnes. »

Agatha se souvint que le village de Towdey n'était pas loin de Hebberdon.

« Pourrions-nous échanger quelques mots ? » demanda Paul.

La porte s'ouvrit sans empressement.

« Entrez, mais juste une minute. Il faut que je retourne au magasin.

– Et de quel magasin s'agit-il ? s'enquit Agatha, tout en le suivant à l'intérieur.

— Antiquités de Mircester, sur la place de l'Abbaye. »

Il les conduisit dans un salon orné de divers meubles anciens. Paul reconnut une jolie table George III et une vitrine Sheraton.

Harry ne leur proposa pas de sièges, mais alla s'adosser à une cheminée de marbre.

« Qui êtes-vous au juste ?

— Je suis Paul Chatterton, et voici Agatha Raisin. Nous avions rendu visite à votre mère pour tenter de la débarrasser de son fantôme.

— Ah, ces âneries. Elle était vieille, vous savez, et je pense qu'elle perdait la tête. Dans un sens, sa mort a été une délivrance.

— Quand l'avez-vous vue pour la dernière fois ?

— Sais pas. Noël, peut-être.

— Si longtemps que ça ! » s'exclama Agatha.

Les yeux de Harry s'étrécirent.

« Je ne vois pas en quoi ce que je fais ou quand j'ai vu ma mère pour la dernière fois peut bien vous regarder. Maintenant, si cela ne vous ennuie pas... »

« Pas grand-chose de ce côté-là, commenta Paul tandis qu'ils remontaient en voiture.

— Vous savez, nous partons du principe qu'il s'agit d'un meurtre. Mais après tout, peut-être que ce n'était qu'un accident. Allons faire un tour au commissariat central pour voir si Bill est là. »

Au commissariat, on les fit attendre dans un

parloir. À leur grande surprise, ce furent deux inspecteurs inconnus qui vinrent les rejoindre au bout d'un long moment.

« Bill est absent ? demanda Agatha.

– C'est nous qui enquêtons sur cette affaire, répliqua l'un d'eux. Je suis l'inspecteur Runcom et voici le sergent Evans. D'après l'inspecteur Wong, vous avez tous les deux passé une nuit chez Mrs Witherspoon dans l'espoir d'y débusquer un fantôme. Est-ce exact ?

– Oui, répondit Paul.

– Vous êtes Paul Chatterton, et vous, Mrs Agatha Raisin ? » attaqua Runcom en consultant ses notes.

Tous deux opinèrent du chef.

« Bon, reprit Runcom. Vous n'avez pas trouvé de spectre, apparemment.

– Exact, répondit Agatha. Mais il y avait cet étrange brouillard blanc, vous savez, comme de la glace sèche.

– Commençons par Mr Chatterton, dit Runcom. Avez-vous pensé que la vieille dame perdait les pédales ?

– Au contraire, elle m'a paru tout à fait saine d'esprit et remarquablement alerte pour son âge.

– Aucune infirmité ? Pas de difficultés à se mouvoir ? »

Agatha ne put s'empêcher d'intervenir :

« Elle est censée avoir dégringolé son escalier, mais les marches n'étaient pas très hautes et le tapis était bien posé.

– Une minute, Mrs Raisin. Bien, Mr Chatterton. Vous avez donc tous les deux passé une nuit entière là-bas ? »

Agatha replongea dans un silence boudeur.

« J'y suis resté plus longtemps que Mrs Raisin, répondit Paul.

– Pourquoi cela ?

– Mrs Raisin a eu une grosse frayeur et s'est enfuie, répondit Paul avec un petit sourire narquois.

– Une grosse frayeur ?

– Je... » amorça Agatha.

Runcom leva la main.

« Mr Chatterton ?

– Quand le brouillard a commencé à s'infiltrer sous la porte, j'ai demandé à Mrs Raisin de monter jeter un œil sur Mrs Witherspoon. Cette dernière a surgi de sa chambre, affublée d'une longue chemise de nuit blanche et d'un masque de beauté vert. Mrs Raisin a poussé un hurlement, pris ses jambes à son cou et sauté dans sa voiture pour rentrer chez elle. J'ai dû lui téléphoner un peu plus tard pour lui demander de revenir me chercher. »

Les trois hommes s'esclaffèrent, fraternisant instantanément dans un même amusement devant la sottise féminine.

« Et après le départ de Mrs Raisin, s'est-il passé quelque chose ?

– Non, Mrs Witherspoon m'a ordonné de m'en aller et a déclaré qu'elle ne voulait plus nous voir ni l'un ni l'autre. J'ai attendu un instant, puis comme je l'ai mentionné, j'ai téléphoné à Mrs Raisin.

– C'est intéressant.

– Je pense, pour ma part... » tenta désespérément Agatha.

Les deux inspecteurs se levèrent.

« Merci de nous avoir accordé un moment, Mr Chatterton. Nous vous contacterons si nous avons d'autres questions à vous poser.

– Mais écoutez-moi une minute, bon sang ! éclata Agatha. Je ne suis pas la femme invisible, et j'ai déjà tiré au clair des affaires pour vous. On est au XXIe siècle. Comment pouvez-vous avoir le culot tous les trois de faire comme si je n'existais pas et que je n'avais pas mon mot à dire ? Où est Bill Wong ?

– Parti déjeuner », lâcha Runcom en leur tenant la porte ouverte et en gratifiant Paul d'une tape compatissante sur l'épaule lorsqu'il passa devant lui.

« Merci pour votre remarquable soutien ! ragea Agatha une fois dehors.

– Du calme. Qu'est-ce que vous auriez pu apporter de plus, de toute façon ?

– J'aurais pu poser un tas de questions pertinentes.

– Par exemple ?

– Par exemple, sait-on si quelqu'un d'autre que sa fille Carol disposait de la clef ? S'il est possible de s'introduire dans la maison par un autre accès ? Elle est très ancienne. Il pourrait y avoir un passage secret.

– Agatha, vous vous croyez dans un roman.

– Absolument pas ! » vociféra-t-elle, à bout de nerfs.

Plusieurs passants se retournèrent et lui jetèrent des regards scandalisés.

« Vous vous rappelez les Cavaliers et les Têtes rondes ? demanda Agatha en baissant la voix de quelques dizaines de décibels. Cette région regorge de vieux bâtiments truffés de cachettes et de souterrains. Je me souviens d'avoir entendu dire que, dans une maison ancienne, pas loin d'ici, près de Stratford, on a découvert une pièce cachée à mi-hauteur quand on a gainé la cheminée. Autre point : combien vaut la maison ? C'est une habitation traditionnelle, à deux étages, à toit de chaume, et très spacieuse, avec poutres apparentes et une cheminée authentique dans le salon, tous les détails qui séduisent tellement les agents immobiliers.

– J'ai inspecté la cuisine quand vous êtes montée. On a ajouté une vaste construction à l'arrière.

– Et par-dessus le marché, continua Agatha, ça me met vraiment en boule qu'on m'ignore simplement parce que je suis une femme.

– Oubliez ça et allons faire un tour à cet abominable bistrot. Bill y sera peut-être et vous pourrez lui poser toutes vos questions. »

Bill s'y trouvait bien et il y engloutissait une

103

assiettée d'œufs et de frites graisseuses. Agatha prit place près de lui tandis que Paul allait au bar leur chercher quelque chose à boire, et elle se plaignit amèrement du traitement qu'elle avait subi. Bill l'écouta patiemment, puis répondit gentiment :

« Je ne peux rien y faire, Agatha. Ce n'est pas moi qui suis chargé de cette enquête.

— Mais on vous tient quand même au courant ?

— Peut-être.

— Qui a les clefs de la maison ?

— La fille. Personne d'autre.

— Et Harry, le fiston qui hérite de tout ?

— Il dit que non. Quand les histoires de revenants ont commencé, Mrs Witherspoon a fait changer toutes les serrures. Elle a donné une clef à Carol, mais pas à Harry.

— Pourquoi ?

— Apparemment, Harry ne passait que rarement et téléphonait toujours avant.

— Vous avez une idée de sa situation financière ?

— Ils sont en train de l'examiner.

— Tiens, tiens ! fit Agatha, avec une lueur subite dans ses petits yeux d'ourse. Donc ils ne sont pas sûrs que ce soit un accident ?

— Je pense qu'ils sont simplement en train de vérifier toutes les possibilités. Il n'y a pas trop de travail en ce moment, sans quoi ils ne manifesteraient peut-être pas autant de curiosité.

— Les marches de l'escalier n'étaient pas très hautes et il y avait un tapis.

– Oui, c'est aussi ce qu'on m'a dit. Et il y a autre chose. »

Agatha jeta un coup d'œil au bar. Paul essayait toujours d'attirer l'attention du serveur, en vain. Elle eut soudain grande envie d'en savoir un peu plus long que lui.

« Quoi d'autre ?

– On lui avait proposé une grosse somme d'argent pour la maison. Les Hôtels Arkbuck...

– Continuez. Pour un cottage ?

– En premier lieu, il est très vaste, et en second lieu il y a quelques hectares de terre à l'arrière qui appartenaient aussi à Mrs Witherspoon. Si j'ai bien compris, ils voulaient y installer une sorte de résidence de campagne haut de gamme avec une façade Tudor authentique et un nouveau bâtiment dans le même style derrière. Mais elle a rejeté leur offre.

– Elle a laissé beaucoup d'argent ?

– Près d'un million de livres, plus des actions et des participations.

– La vieille teigne ! s'exclama Agatha. Et sa malheureuse fille, qui vit dans un logement social délabré !

– Agatha, Agatha, ça ne servira à rien, je suppose, que je vous dise d'arrêter de fourrer votre nez dans les affaires qui relèvent de la police.

– À rien du tout, répliqua gaiement Paul, qui revenait avec leurs deux verres à point nommé pour entendre la dernière remarque. Alors, Agatha, Bill vous a fait des révélations ?

– Pas grand-chose de plus que ce que nous savions déjà.

– Il faut que j'y retourne, constata Bill. À la prochaine !

– Alors, qu'est-ce qu'il a dit ? » demanda Paul.

Agatha lutta en silence contre ses impulsions contradictoires. Pourquoi ne pas garder les informations pour elle et mener sa propre enquête toute seule comme par le passé ? Mais Paul portait une chemise de lin bleu ciel à col ouvert, ce qui, avec ses cheveux d'argent et ses yeux noirs, formait un ensemble si séduisant…

« Si vous m'invitez à déjeuner, je vous raconterai tout », capitula-t-elle.

Paul se tourna vers le menu, copié à la craie sur un tableau noir.

« Pas question ! déclara Agatha. Pas ici.

– Bon, accorda-t-il avec un sourire, il y a un restaurant français de l'autre côté de la place, qui n'est pas mal paraît-il. Allons-y. »

Agatha avait faim, mais découvrit à son grand désappointement que le patron était un adepte de la nouvelle cuisine, qui servait de minuscules portions artistiquement disposées sur un lit de roquette, végétal qu'Agatha exécrait entre tous.

« Cessez de ronchonner, la pria Paul, et dites-moi ce que vous avez appris. »

Agatha lui répéta ce que Bill lui avait raconté.

« Formidable ! s'exclama Paul quand elle eut terminé. Sitôt rentrés, nous chercherons l'adresse de la direction de cette chaîne d'hôtels et nous irons les voir.

– Ça ne sera pas long, commenta Agatha sombrement. Chaque plat fait à peu près une bouchée. »

Le repas achevé, Paul tiqua légèrement devant la note et se félicita qu'ils n'aient pas pris de vin.

« Agatha, vous et moi nous nous sommes trompés de métier, conclut-il en sortant. Nous devrions ouvrir un restaurant où nous affamerions les clients pour des sommes astronomiques.

– Fichus Français, maugréa Agatha, qui ne se sentait nullement rassasiée.

– Seriez-vous xénophobe, Agatha ?

– Pas du tout. Et d'ailleurs les Français sont bien le dernier peuple que vous puissiez insulter, parce qu'ils se fichent éperdument de ce qu'on peut raconter sur leur compte. »

De retour chez Agatha à Carsely, celle-ci chercha en vain le siège des Hôtels Arkbuck dans les annuaires professionnels de Londres.

« Essayez Internet », conseilla Paul.

Elle ouvrit son ordinateur, et au bout de quelques minutes annonça :

« J'ai trouvé. Ils sont à Bath.

– Bon, ce n'est pas bien loin. Partons maintenant. »

Lorsqu'ils atteignirent Bath, les rangées de grandes façades néoclassiques éclataient de blancheur sous le ciel qui s'assombrissait. Les bureaux des Hôtels Arkbuck étaient situés dans une élégante demeure du Royal Crescent.

« Fort chic, murmura Paul. Je m'attendais à quelque chose d'un peu miteux. »

La réception était tenue par une dame aux cheveux gris et à l'air efficace, installée derrière un bureau de style XVIIIe – le genre de femme, songea Agatha, qui, avant l'arrivée des ordinateurs, tapait quatre-vingts mots à la minute sur une vieille Remington.

Paul fit les présentations et expliqua qu'ils s'intéressaient à l'offre faite à Mrs Witherspoon pour son cottage de Hebberdon. Agatha, s'attendant à ce qu'on les éconduise poliment, fut fort surprise de l'entendre répondre :

« Je pense que Mr Perry est libre.

– Qui est Mr Perry ? s'enquit Agatha.

– Notre directeur général. Veuillez patienter un instant. »

Elle s'engagea dans un élégant escalier. Paul examina les photos des hôtels de la firme qui décoraient les murs.

« Tous ceux-là n'ont rien de sinistre, à première vue, commenta-t-il. Le genre ancien manoir rénové. »

La réceptionniste redescendit, accompagnée par

une secrétaire à la silhouette élancée, qui les invita à la suivre.

« Mr Perry va vous recevoir tout de suite. »

Ladite secrétaire portait une jupe fort courte et Agatha remarqua que Paul contemplait avec intérêt les longues jambes qui montaient l'escalier devant lui. Elle ressentit une pointe de jalousie. Les femmes mûres étaient victimes d'une injustice flagrante. Si elle s'était permis, elle, de guigner de cette façon un jeune homme, on l'aurait considérée comme une vieille libertine. Mais un homme du même âge, pourvu qu'il soit bien conservé, échappait à tout opprobre.

La jeune femme leur fit traverser son bureau, ouvrit une porte, les introduisit et tira le battant derrière eux.

Mr Perry avait la cinquantaine, un visage lisse et inexpressif, de petits yeux gris et d'épais sourcils broussailleux. Il était vêtu avec une élégance irréprochable et les deux mains qu'il appuya sur son bureau, en se levant pour les accueillir, étaient admirablement soignées.

« En quoi puis-je vous être utile ? » s'enquit-il avec un accent d'Eton. Agatha, reprise à l'improviste par son vieux complexe d'infériorité, sentit quelque chose vaciller en elle-même – comme si un nœud se formait au niveau de l'estomac. Elle se demandait parfois si ce n'était pas grâce aux complexes d'infériorité de gens comme elle, bien plus qu'au comportement des couches supérieures, que le système des classes anglais se portait toujours comme un charme. Pourquoi diable éprouvait-elle incontestablement ce sentiment d'infériorité ?

Elle revint brutalement à la réalité : Paul venait de parler et les deux hommes la fixaient avec curiosité. Elle referma la bouche, qui manifestait une tendance embarrassante à s'ouvrir tout grand quand quelque chose la tracassait.

« Agatha ? »

Paul la rappelait à l'ordre.

« Quoi ?

– J'étais en train d'exposer à Mr Perry les raisons pour lesquelles nous nous intéressions au cottage de Mrs Witherspoon. Et si vous vous asseyiez ? »

Agatha prit place en face de Mr Perry.

« Ce que vous m'expliquez en substance, suggéra Mr Perry, c'est qu'il y a quelque chose de louche, à vos yeux, dans la mort de la vieille femme. Vous apprenez que nous avons voulu acheter sa maison et vous vous dites : ah ! ah ! cette sinistre chaîne d'hôtels ne recule devant rien.

– Ce n'est pas tout à fait faux, confessa Agatha, que la sidération réduisait à la franchise. Mais c'était avant de venir ici. Cela fait tellement respectable, chez vous ! »

Sa réflexion parut amuser Mr Perry.

« Si nous souhaitions acquérir ce bien, c'était essentiellement à cause du grand terrain à l'arrière qui, joint à l'ancienneté de la maison, en faisait un lieu idéal pour y développer notre projet.

– Mais comment le saviez-vous ? demanda Agatha. Je veux dire que vous auriez ignoré l'existence de ce terrain si quelqu'un ne vous en avait pas parlé.

– Exactement.

– Donc qui vous a renseigné ?

– Je ne me souviens pas des détails. Ce n'est pas moi qui ai approché Mrs Witherspoon. Mais nous avons le dossier quelque part, assura-t-il en appuyant sur le bouton de l'interphone. Suzie, je vous prie, trouvez-moi le dossier concernant... Quel nom ? interrogea-t-il avec un coup d'œil à Paul.

– Ivy Cottage, impasse du Sac, Hebberdon.

– Ivy Cottage, impasse du Sac, Hebberdon, répéta Mr Perry.

– Cela vous gênerait-il que je fume ? glissa Agatha qui lorgnait un gros cendrier de verre posé sur le bureau.

– Pas le moins du monde. Voulez-vous un café ?

– Très volontiers. »

Il appuya de nouveau sur le bouton : « Suzie, après le dossier, apportez-nous aussi un peu de café.

– Cela ne la froisse pas ? demanda Agatha avec curiosité.

– Quoi donc ?

– Que vous la chargiez de préparer le café.

– Oh non. Nous sommes très vieux jeu, dans la maison. »

Suzie entra et remit un dossier à son chef.

« Voyons cela, commença Mr Perry en l'ouvrant. Ah, oui, nous avons une lettre. Elle vient du fils, Harry Witherspoon.

– Tiens, tiens ! s'exclama Agatha, l'œil luisant.

– Nous avons été induits en erreur. Nous avons cru que la propriété lui appartenait et qu'il avait le droit de s'en défaire. Il nous a envoyé des photos de la maison et du terrain.

– Elle est bien à lui maintenant, s'il veut la vendre, remarqua Paul.

– Je doute que nous en voulions pour notre part. Ah, Suzie, le café… Parfait, posez simplement le plateau sur la table. »

Agatha détaillait avec curiosité le visage de Mr Perry. Avait-il subi des opérations de chirurgie esthétique ? Il leva les yeux et surprit son regard.

« Conséquences d'un accident d'auto, dit-il. Ils ont bien arrangé ma figure, mais le résultat manque un brin de naturel, n'est-ce pas ? »

Agatha s'empourpra d'embarras.

« À moi, ça me paraît très bien, répondit-elle d'un ton bourru. Et pourquoi vous désintéresser du cottage ?

– Il y aurait un gros travail de restauration à y faire, et un bâtiment comme celui-ci relève des monuments historiques. Nous avons toutes les chances de ne pas obtenir les permis de construire nécessaires. Il a toute une histoire, que notre architecte a découverte en étudiant le projet. À l'époque de la guerre civile, au cours des affrontements entre les Têtes rondes de Cromwell et les Cavaliers de Charles Ier, un de ceux-ci, sir Geoffrey Lamont, s'y est réfugié, en fuyant le champ de bataille de Worcester. Il aurait, selon les rumeurs, transporté une fortune en or et en bijoux. Il ignorait que son hôte, Simon Lovesey, était passé du côté de Cromwell. Lovesey l'a trahi et sir Geoffrey a été pendu sur la colline de la Tour.

– Et qu'est devenue cette fortune ? demanda Agatha.

– Personne ne semble le savoir. Peu après sa trahison, Lovesey est mort de consomption, ce que nous appelons aujourd'hui la tuberculose. »

Ils sirotèrent leur café en bavardant sur les cours immobiliers, jusqu'à ce que Mr Perry les prévienne qu'il avait un rendez-vous quelques minutes plus tard, ce qui les amena à prendre congé.

« Vous croyez qu'il y a un trésor enterré ? demanda Agatha, tout excitée, sur le trajet du retour.

– Absolument pas.

– Oh, ce que vous pouvez avoir l'esprit prosaïque ! J'aimerais bien le chercher.

– Hors de question. Je me refuse à forcer la porte du cottage comme un cambrioleur.

– Ça ne sera peut-être pas nécessaire. Écoutez, quand nous irons à cet enterrement, Harry aura certainement prévu un genre de réception dans la maison.

– Et alors ?

– Et alors nous nous joignons à l'assistance, je subtilise la clef sur la porte, je file chez un serrurier, je reviens en vitesse et je remets l'original en place.

– Je pense qu'il y a plus simple, répondit Paul. Je suis persuadé que Harry mettra la maison en vente immédiatement après les funérailles. Il nous suffit d'attendre quelques jours, avant de contacter l'agent immobilier pour solliciter une visite des lieux. Mais ne commencez pas à rêver de trésors cachés. Si celui-là existait, il y a belle lurette qu'on l'aurait trouvé. En revanche, il se pourrait qu'il y ait une entrée secrète.

– Allons voir Mrs Bloxby, elle saura si une société historique s'est jamais penchée sur le cottage », suggéra Agatha.

« Il y a une société historique à Towdey, confirma Mrs Bloxby. Vous connaissez Towdey ?

– Je sais que c'est tout près de Hebberdon, répondit Agatha, mais, à vrai dire, je n'y suis jamais allée.

– C'est grand, un peu comme Blockley. Au XVIIIᵉ siècle, il y avait des manufactures. Je ne sais pas qui dirige la société, vous pourriez peut-être y faire un saut pour vous renseigner.

– C'est ce que nous ferons, dit Agatha. Enfin, je suppose que demain nous devrions plutôt aller à l'audience. Il y a toutes les chances pour qu'elle se conclue par un verdict de mort accidentelle. »

Mais une surprise les y attendait.

Le lendemain matin les trouva tous deux assis au fond de la salle d'audience du coroner à Mircester.

« Il y a un jury ! s'exclama Paul.

– Ce n'est pas toujours le cas ?

– Non. Le coroner a convoqué un jury et le fait même qu'il y ait une audience indique que la police ne considère pas la cause du décès comme bien établie.

– Mais je croyais que l'on ouvrait automatiquement une enquête en cas de mort subite, du moment que le défunt n'avait pas vu son médecin récemment ?

– Chut ! Voilà le coroner. »

Agatha étouffa un petit rire. Le coroner avait tout l'air d'un mort lui aussi. Il était grand, maigre, et doté d'un visage cadavérique à la peau jaunâtre, posé sur des épaules voûtées. Il salua le jury d'un bref sourire, qui ressemblait fort à un rictus.

Le premier témoin fut le policier arrivé sur les lieux en même temps que l'ambulance. Il avait trouvé la morte, expliqua-t-il, tout au bas de l'escalier, la tête à un angle anormal. Elle était en chemise de nuit. On avait en vain cherché des signes de vie. C'était la fille de Mrs Witherspoon qui avait découvert sa mère au pied de l'escalier et alerté les secours.

Le policier avait-il soupçonné un acte criminel ? Non, car la fille de Mrs Witherspoon l'avait informé que sa mère souffrait d'hypertension et avait probablement été terrassée par une attaque.

On avait appelé le médecin de Mrs Witherspoon, le Dr Firb, mais il avait refusé de signer le certificat de décès.

Le Dr Firb lui succéda à la barre. Il justifia son refus par son désir d'attendre le verdict du médecin légiste de l'hôpital.

« La mort vous a-t-elle semblé suspecte ? interrogea le coroner.

– Pas particulièrement. Mais les circonstances paraissaient bizarres. C'était en effet une vieille dame, avec des problèmes de tension, mais elle savait très bien les surveiller, elle prenait très régulièrement ses médicaments et elle était en excellente forme physique. Je n'ai trouvé aucun symptôme d'infarctus. Elle avait apparemment la nuque brisée. J'ai présumé que c'était à cause de sa chute, mais je voulais en avoir le cœur net. »

Le coroner posa d'autres questions touchant à la santé physique et mentale de Mrs Witherspoon, auxquelles le médecin répondit longuement, tandis qu'Agatha réprimait un bâillement. La salle d'audience était étouffante et poussiéreuse. Les hautes fenêtres palladiennes semblaient n'avoir pas été nettoyées depuis le XVIIIe siècle et les rayons du soleil peinaient à filtrer à travers la crasse.

Les paupières d'Agatha papillotaient. Bientôt elle dormait à poings fermés. Elle ne s'éveilla qu'une heure plus tard, quand Paul lui envoya un coup de coude dans les côtes.

« Vous ronflez ! la tança-t-il à voix basse.

– Hein ? Quoi ? » s'exclama Agatha.

Tous les yeux se tournèrent vers elle et elle devint cramoisie. Carol Witherspoon était à la barre, en larmes.

« Je ne veux pas prolonger cette épreuve, dit le coroner avec douceur. J'ai cru comprendre que vous étiez allée voir votre mère comme d'habitude ? »

Carol s'essuya vigoureusement les yeux avec un mouchoir trempé.

« Oui », proclama-t-elle.

Elle balaya toute la salle d'un regard vengeur jusqu'à ce que ses yeux bordés de rouge se fixent sur son frère Harry.

« Pas comme lui !

– À qui faites-vous allusion ?

– À mon frère Harry. Il ne s'occupait pas d'elle, il n'allait presque jamais la voir, et elle lui laisse tout ! Eh bien, je vais vous dire, ça doit être lui qui l'a tuée !

– Je comprends que vous soyez bouleversée, Miss Witherspoon, mais je dois vous conseiller de surveiller vos propos. »

Un reporter solitaire, envoyé par une feuille de chou locale, cessa de bâiller à fendre l'âme sur le banc de la presse, se redressa subitement et se mit à noter à toute vitesse.

« Ce que j'en dis, c'est que tout ça me paraît louche, s'emporta Carol, hors d'elle. Ses affaires à lui sont dans un sale état. Vous n'avez pas découvert ça ?

– Emmenez le témoin », dit le coroner.

Une policière écarta de la barre une Carol folle de rage.

« Vous avez raté le plus beau ! » souffla Paul.

Le coroner s'adressa au jury :

« Vous ne prendrez pas en compte les accusations du dernier témoin. Vous avez entendu les divers rapports. Il en ressort que Mrs Witherspoon, malgré son âge, était en excellente forme jusqu'au moment de sa mort. Elle s'était sentie menacée, avant les événements, par un mystérieux fantôme. Le médecin légiste a attesté qu'elle est morte d'une fracture des vertèbres cervicales. Il se pourrait donc que Mrs Witherspoon ait succombé à une chute dans l'escalier de sa maison, Ivy Cottage, à Hebberdon. Cependant, le devant de son cou présente une ecchymose noire, qui peut résulter d'un coup violent porté à cet endroit du corps. La police scientifique n'a relevé aucune empreinte digitale sur la rampe. Les marches étaient recouvertes d'un épais tapis. Si Mrs Witherspoon avait fait une chute, elle n'aurait pas manqué de saisir la rampe, à un moment donné, pour tenter de se rattraper. L'équipe de spécialistes n'a décelé aucune trace dans l'escalier qui puisse correspondre à la blessure fatale sur son cou. Vous pouvez vous retirer pour établir votre verdict. »

Il ne fallut qu'un quart d'heure au jury pour trancher : « Meurtre dont le ou les auteurs demeurent inconnus. »

Agatha chercha du regard Harry Witherspoon, mais il avait disparu.

« Il ne pourra plus vendre la maison, maintenant, chuchota Paul. Pas avant qu'ils n'aient retrouvé le coupable. »

De retour à Carsely, Agatha déclara :

« Mais c'est pourtant l'évidence même !

– Qu'est-ce qui est évident ? demanda Paul. Il commence à pleuvoir et vos chats sont dans le jardin. Je les fais rentrer ?

– Ouvrez la porte et ils rentreront si ça leur plaît. Ce sont des bêtes originales, elles aiment la pluie. Ce qui est évident ? Que c'est Harry le coupable, voilà ce que je veux dire. Il devait savoir qu'il hériterait de tout. Ses affaires marchent mal, maman est vieille mais a l'air bien décidée à durer encore pas mal d'années.

– Cela ne doit pas nous dissuader de rechercher d'autres suspects.

– Qui par exemple ?

– Percy Flemming.

– Quoi ! L'écrivain de science-fiction ? Pourquoi lui ?

– Oh, une idée comme ça. Il a pu se laisser emporter par son antipathie pour elle et se prendre pour un personnage de ses livres, Thor le Vengeur, ou quelque chose comme ça.

– Une minute, reprit Agatha. Nous oublions

les fantômes. J'ai peine à imaginer Harry en train de fricoter avec de la glace sèche et un marteau en pleine nuit. Pourquoi aurait-il voulu la chasser d'une maison qui vaut très cher, alors qu'il était certain d'en hériter ?

– Il espérait peut-être la faire mourir de peur.

– C'était sa mère, il la connaissait bien. Il devait bien savoir qu'elle ne serait pas facile à terrifier, répondit Agatha. Je n'arrive pas à tenir en place. Mangeons sur le pouce et allons à Towdey. »

Elle ouvrit un grand congélateur dont elle extirpa plusieurs paquets blancs de gel. Elle tenta de gratter la pellicule de givre pour les identifier.

Paul, sûr qu'ils traînaient dans le congélateur depuis une éternité, se hâta d'intervenir.

« Laissez tomber. Allons-y tout de suite. Il y aura sûrement un endroit où déjeuner à Towdey. J'ai une voiture.

– Je sais. La décapotable.

– Non, j'en ai pris une autre, moins voyante, pour tous les jours.

Les chats se faufilèrent à l'intérieur, trempés, et vinrent s'enrouler autour des jambes d'Agatha. « Fermez la porte pour qu'ils ne ressortent pas et en route ! » dit Agatha en attrapant son sac à main.

Le bourg de Towdey se blottissait dans un vallon au cœur des collines des Cotswolds. Le soleil était réapparu et des rangées de façades de la fin du XVIIIᵉ siècle luisaient doucement sous la pâle lumière dorée. La voiture de Paul, une vieille

Ford Escort, écrasa une couche de paille imbibée de désinfectant, abandonnée à l'entrée du village depuis l'épidémie de fièvre aphteuse. Il suivit les panneaux indiquant la direction du centre.

« Oh, regardez ! s'exclama-t-il. Voilà un bistrot et le menu est affiché dehors. »

Il se gara devant le restaurant, ils sortirent de la voiture et étudièrent la carte.

« Mais où sont donc passés les petits cafés bon marché ? gémit Agatha. Celui-là propose de la lotte et du filet de bœuf à des prix astronomiques. Je n'ai pas envie d'un repas somptueux.

– Essayons toujours, dit Paul. Il y a peut-être un bar avec quelque chose de plus simple à l'intérieur. »

C'était un joli bâtiment Tudor, plus ancien que les pavillons XVIIIe qui l'environnaient. La salle au plafond bas, avec ses poutres apparentes, était sombre. Un barman dont l'accent ressemblait à celui de l'inspecteur Clouseau s'informa de ce qu'ils désiraient. Paul annonça qu'ils souhaitaient une légère collation et il leur fut indiqué la direction du bar, avec ce regard pesant et cette légère moue dont les Français ont le secret.

Le bar était séparé par un couloir dallé de la salle de restaurant où l'on servait les repas « chics ». Celle-ci était vide, mais il y avait du monde dans l'autre. C'était une longue pièce au plafond bas, au plancher nu, meublée de tables et de chaises. Il n'y avait personne derrière le comptoir, mais une

clochette était posée dessus avec un petit panneau
« SONNEZ POUR APPELER ». Paul sonna. L'inspecteur
Clouseau apparut de nouveau.

« Ou-iii ? dit-il d'une voix traînante.

– Le menu abordable, s'il vous plaît », répondit
Paul, qui commençait à s'énerver.

On lui tendit une carte plastifiée. Paul lut tout
haut la brève liste des plats.

« Cabillaud et frites, lasagnes et frites, œufs au
plat et frites ou curry de poulet.

– Les prix ?

– Fantastiques.

– Dans quel sens ?

– Fantastiquement élevés pour des cochonneries
de cet ordre. »

Il rendit le menu au serveur.

« Désolé. »

Clouseau battit en retraite, l'air hautain.

« Nous trouverons autre chose plus tard, dit
Paul.

– Comment cet établissement survit-il ? demanda
Agatha, furieuse, une fois dehors. Ce restaurant
n'est même pas situé sur une route touristique. »

Elle se retourna à demi.

« Et si ce n'était qu'une façade ?

– Une enquête à la fois, répondit Paul en l'entraînant plus loin. Marchons un peu. Nous trouverons peut-être une boutique où nous renseigner
sur la société historique. »

Ils longèrent des rangées de cottages. Aucun

n'avait de jardin en façade, mais quelques portes étaient encadrées de grands baquets, d'où s'élançaient des rosiers grimpants.

« Voilà un magasin, remarqua Paul. L'épicerie-bureau de poste de Towdey. »

Mais le magasin était fermé.

« Il doit être midi, déduisit Paul en inspectant la vitrine. Vraiment, certains commerçants anglais sont ahurissants. On dirait qu'ils n'ont rien appris des Asiatiques.

– Regardez ! » Agatha désigna, au milieu d'une quantité d'annonces collées sur la vitrine, qui proposaient des heures de jardinage ou de garde d'enfants, des tondeuses à gazon, des machines à laver et des bicyclettes d'occasion, une affichette particulièrement soignée. Sous l'en-tête SOCIÉTÉ HISTORIQUE DE TOWDEY, était tapé à la machine :

Têtes rondes et Cavaliers
Discussion historique sur les relations
de Towdey avec les royalistes au XVIIe siècle.
Réunions : tous les mercredis soir à 19 h 30
dans la salle de l'église.

« Et c'est justement ce soir, constata Paul avec satisfaction. Autant rentrer chez nous manger un morceau. »

« Il aurait au moins pu proposer de me faire une omelette », bougonna Agatha à l'adresse de ses chats tandis qu'elle décongelait un plat tout préparé, en formant le souhait qu'il lui convienne – impossible de déchiffrer l'étiquette à travers l'épaisse pellicule de glace qui le recouvrait.

Elle avait la désagréable impression qu'ils perdaient leur temps avec cette société historique. Elle était prête à parier à dix contre un que Harry Witherspoon était l'assassin de sa mère.

5

Agatha Raisin se prélassait dans un bain parfumé en se demandant s'il était vraiment nécessaire de s'en extraire et de s'habiller pour se rendre à la réunion de la société historique de Towdey – moins parce qu'elle était certaine de la culpabilité de Harry, que parce qu'elle sentait le besoin (rare chez elle) de se détendre. En temps normal, Agatha éprouvait une sorte de malaise quand elle n'avait rien d'autre à faire que tourner en rond entre ses quatre murs. Actuellement, elle en avait plus qu'assez de se fatiguer à faire des élégances et se pomponner pour des hommes qui n'en valaient pas la peine.

« N'oublie pas que Paul est marié », s'admonesta-t-elle sévèrement.

Ses deux chats, Hodge et Boswell, juchés sur le bord de la baignoire, la fixaient de leurs pupilles solennelles, comme s'ils approuvaient ses pensées.

Des trésors cachés, des passages secrets – on

aurait dit les bandes dessinées qu'elle lisait enfant. Pourtant… quelqu'un était bel et bien entré dans cette maison.

Avec un grand soupir, elle sortit de l'eau, qui de toute façon avait refroidi, et se sécha. Puis elle s'étudia dans la glace. Sa poitrine ne tombait pas, elle n'avait ni cellulite ni marques d'affaissement. Mais sa peau était un peu lâche à la taille, au niveau de l'estomac, et sous le menton. Elle décida de faire des exercices dès le lendemain. Elle avait toujours eu la taille assez épaisse. Inutile de laisser les choses s'aggraver.

Elle écarta résolument l'idée de choisir de jolis dessous. À quoi bon puisqu'elle serait en compagnie d'un homme marié ? Un soutien-gorge et une culotte de coton blanc feraient l'affaire. Elle passa ensuite dans sa chambre et sélectionna un confortable tailleur-pantalon de lin et un corsage blanc. Elle résista à la tentation d'enfiler des chaussures à talons hauts. Elle descendait l'escalier, précédée des deux matous, quand on sonna. Elle jeta un coup d'œil à sa montre. Paul était ponctuel.

« Vous êtes prête ? demanda-t-il dès qu'elle ouvrit la porte. Très seyante, votre tenue. »

Eh bien, songea Agatha, allez donc savoir avec les hommes. Peut-être qu'on a l'air plus accessible avec un maquillage minimaliste.

« Vous croyez vraiment qu'il peut en sortir quelque chose ? demanda-t-elle.

– Ça se pourrait. Ça vaut le coup d'essayer. »

Il faisait encore jour quand ils partirent, sous un ciel gris que de lointains éclairs illuminaient régulièrement à l'ouest, où le tonnerre grondait par instants.

« Nous aurions peut-être dû vérifier où était la salle paroissiale avant de quitter Towdey ce matin, remarqua Agatha.

– L'église est au bout de la grand-rue et la salle paroissiale est forcément à côté.

– Vous avez eu des nouvelles de votre femme ?

– De Juanita ? Non. Pas de nouvelles, bonnes nouvelles. Et vous, votre ex ? Les commérages du village prétendent que vous êtes toujours amoureuse de lui.

– Je n'ai pas de nouvelles et je ne veux pas en avoir », répliqua Agatha sèchement.

Ils continuèrent leur route en silence.

Paul se gara devant l'église. Le clocher était roman, ainsi que le portail ouest. De très vieilles pierres tombales, certaines de guingois, parsemaient l'herbe folle du cimetière. Une grosse goutte de pluie frappa Agatha à la joue et les roulements du tonnerre se rapprochèrent.

« Dépêchons-nous de trouver cette salle, cria Agatha, il va tomber des trombes d'eau. »

Un couple âgé pénétra dans le cimetière.

« Allez-vous à la réunion de la société historique ? leur demanda Paul. Nous ne savons pas où est la salle paroissiale.

— Suivez-nous, répondit le vieux monsieur.

— En voilà des monuments historiques ! » murmura Agatha pendant qu'ils continuaient lentement jusqu'au coin de l'église. Un perron aux marches basses menait à une porte ouverte sur une petite salle carrée où six personnes d'un âge vénérable avaient déjà pris place, tandis que trois autres quidams un peu plus jeunes s'agitaient et bâillaient.

Un homme grand et mince arrangeait quelques papiers sur un lutrin face à l'assistance. En voyant Agatha et Paul, il s'avança à leur rencontre.

« Je suis Peter Frampton, dit-il. C'est un plaisir de voir de nouveaux visages dans notre petit groupe. »

Paul se chargea des présentations tandis qu'Agatha examinait discrètement Peter Frampton. Elle en conclut qu'il avait un petit air de professeur de faculté assez séduisant et lui attribua la quarantaine. Ses cheveux gris, tout en ondulations et en boucles, étaient coupés avec soin et encadraient un visage fin au nez élégant et droit, et aux yeux gris pâle sous de lourdes paupières.

« Il y a deux sièges libres devant, observa-t-il. Je ne sais pas pourquoi, mais personne ne veut jamais s'asseoir au premier rang.

— Nous allons inverser la tendance, alors, dit Paul en s'effaçant pour laisser passer Agatha.

— Vous vous intéressez à la guerre civile ? demanda Peter.

– Beaucoup, répondit Agatha.

– Parfait, parfait. Nous commençons tout de suite. »

Un grand éclair blanc illumina violemment la pièce et quelques participants poussèrent des cris d'effroi.

« Ce n'est qu'un orage, ça ne va pas durer, dit Peter en prenant place derrière le lutrin. Mesdames et messieurs, bonsoir. Certains d'entre vous m'ont confié mal connaître la période de la guerre civile. Je me consacre essentiellement ce soir à la bataille de Worcester en 1651, qui fut le dernier acte de ces affrontements, commencés en août 1642. Bien, il faut savoir que les Cavaliers devaient leur surnom aux caballeros espagnols, et les Têtes rondes qu'on considérait comme des artisans puritains, à leurs cheveux coupés au bol. Les Cavaliers, eux, les portaient longs. Passons maintenant à la bataille en elle-même. Le 28 août, une partie des troupes parlementaires...

– C'est lesquelles ? chevrota une voix.

– Les Têtes rondes.

– Aha.

– Ils ont traversé la rivière Severn à Upton. À la tombée de la nuit... »

La porte du fond s'ouvrit bruyamment. Agatha se retourna pour voir le nouvel arrivant et allongea un coup de coude à Paul.

« Regardez, chuchota-t-elle. Une créature venue d'un autre monde ! »

Une jeune fille se tenait à l'entrée. Derrière elle, la pluie tambourinait en baguettes d'argent sur les tombes. Son épaisse chevelure brune était relevée en chignon sur son crâne et maintenue par des peignes d'argent. Elle avait le visage blême, les lèvres violettes et les yeux lourdement cernés de mascara. Elle portait une tunique de cuir sans manches ornée d'énormes bijoux baroques en argent, un pantalon de cuir noir et des bottes montantes à boucles d'argent et talons invraisemblablement hauts.

« Entre, Zena, et ferme la porte », dit Peter qui ne semblait pas le moins du monde perturbé par cette vision.

Les coups de tonnerre se succédaient, mais la voix de Peter arrivait à les couvrir. Au bout d'une demi-heure, Agatha réalisa qu'il en était encore à la bataille de Worcester et qu'on était toujours aussi loin de l'histoire des royalistes à Towdey.

Quand il atteignit la fin de la bataille, la déroute des Cavaliers et la fuite du roi Charles, le tonnerre s'éloignait.

« Environ dix mille prisonniers furent dépouillés de tout ce qu'ils possédaient. Quelques-uns furent dispersés dans les geôles de tout le pays, d'autres déportés en Nouvelle-Angleterre, en Virginie et aux Indes occidentales pour travailler sur les plantations et dans les fonderies. D'autres enfin furent envoyés creuser les canaux de drainage dans les marais de l'Est. Bon nombre de prisonniers anglais furent enrôlés de force dans l'armée et partirent pour l'Irlande.

» J'espère que cette petite conférence a comblé quelques lacunes dans vos connaissances. Je suggère une pause pour le thé, après quoi je répondrai à vos questions. »

Une femme de l'assistance se leva et ôta prestement la nappe blanche qui dissimulait une table à tréteaux, garnie d'une grande théière ainsi que d'assiettes de sandwiches et de gâteaux. Agatha se leva aussi et chercha Zena du regard, mais elle avait disparu. Elle avait sans doute opéré une sortie plus discrète que son arrivée.

« Autant prendre le thé », dit Paul.

Les plus âgés se dépêchaient d'empiler canapés et pâtisseries sur leurs assiettes.

« Vous vous intéressez à l'histoire ? demanda-t-il à un vieux monsieur.

– Ah non, répondit allègrement ce dernier, moi, c'est pour manger que je viens.

– Ils n'ont pas laissé grand-chose, grommela Agatha. Fichus goinfres.

– Ils en ont bien plus besoin que vous, rétorqua Paul. Ça vous plairait de vous débrouiller avec leur retraite ?

– Je me demande pourquoi cette fille bizarre du nom de Zena s'est invitée.

– Qui sait ? Elle vérifiait peut-être que sa grand-mère était bien là. Sa tenue était plus adaptée à une soirée en boîte qu'à une réunion de société historique. Peter Frampton s'est éclipsé aussi. J'espère qu'il va revenir répondre aux questions.

– Il y a une autre porte derrière ce paravent au fond de la salle, observa Agatha. Il est sans doute passé par là.

– Tiens, le revoilà, constata Paul en voyant Peter surgir de derrière le paravent.

– Pendant que vous savourez votre thé, annonça-t-il, y a-t-il des questions ? »

Agatha leva la main.

« Oui, Mrs… euh.

– Je pensais qu'il s'agissait d'une conférence sur les royalistes à Towdey, fit-elle remarquer.

– C'est ce qui était prévu. Mais plusieurs membres de la société souhaitaient en savoir un peu plus sur l'arrière-plan de la guerre civile. Peut-être la semaine prochaine. »

Paul leva la main.

« Pouvez-vous nous parler de sir Geoffrey Lamont ?

– Dans une minute. Mr Bragg avait demandé la parole en premier. Mr Bragg ?

– Pourquoi est-ce qu'il n'y avait pas un seul de ces muffins aux raisins, cette fois ?

– Mrs Partlett est en vacances, or c'est elle qui les confectionne habituellement. Elle revient la semaine prochaine. »

S'ensuivit une discussion acharnée sur les mérites desdits muffins. Paul leva de nouveau la main.

« Mrs Harper », dit Peter.

Paul grimaça d'exaspération.

« Je voudrais lire le compte rendu de la dernière réunion, chevrota Mrs Harper d'une voix tremblante de nervosité.

— Toutes mes excuses. J'avais oublié. Faites, je vous en prie. »

Paul se laissa aller sur sa chaise.

« Voilà qui devient intéressant, chuchota Agatha. Il esquive délibérément votre question. »

Et c'était bien ce qu'il semblait, car à peine Mrs Harper eut-elle terminé que Peter annonça :

« Bien. La séance est à présent close. À la semaine prochaine. »

Paul bondit sur ses pieds, mais Peter s'engouffra derrière le paravent et on entendit une porte claquer.

« Et voilà, conclut Agatha. Procurons-nous son adresse et allons lui dire deux mots chez lui.

— Demandons déjà à quelques-uns des locaux s'ils ont des informations sur Ivy Cottage. Mr Bragg ? dit Paul, abordant le vieillard.

— Ouais ?

— Pourriez-vous nous donner quelques détails sur l'histoire du Ivy Cottage ?

— Là ousqu'elle a été tuée ?

— Oui.

— Ça date de l'ancien temps. Tudor.

— Ça, nous le savons, coupa Paul avec impa-

tience. Est-ce qu'on a jamais parlé de bijoux, qui
y seraient cachés ?

– Oh, c'te vieille histoire. Non. Y a rien du tout,
je pense. Si jamais y a eu queuque chose, y a bien
longtemps que ça a été volé, bien avant que j'sois
né, et c'est pas hier. »

Il se mit à rire, en postillonnant des miettes de
gâteau au nez de Paul.

« Nous envisagerions de l'acheter, dit Agatha.

– Alors faut voir Mr Frampton. Il le voulait,
mais la vieille voulait rien entendre. »

Les yeux d'Agatha étincelèrent d'excitation :
« Savez-vous où Mr Frampton habite ?

– Troisième cottage après le bistrot. Impasse
des Tapettes.

– Ça ne peut pas être son vrai nom ! s'écria
Agatha en le regardant d'un œil éberlué.

– Ben si, l'a toujours été. Bien sûr, Mr Frampton
a juste un numéro dehors. Le nom ne lui plaisait
pas trop. »

Quand ils sortirent, quelques rayons de soleil
faisaient scintiller les gouttes de pluie sur les vieux
arbres qui entouraient le cimetière.

« Alors, qu'en pensez-vous ? demanda Paul sitôt
qu'ils furent remontés en voiture.

– Ça pourrait être une couverture, cette société
historique », avança Agatha, toujours prête à
démasquer les plus redoutables organisations cri-
minelles au fin fond des villages des Cotswolds.

Il éclata de rire.

« Non, vous ne l'avez pas écouté. C'était une excellente conférence, il était vraiment passionné par son sujet. Ça lui est complètement égal que la majeure partie de son public ne vienne que pour les petits fours.

– Mais cette fille qui est entrée ? C'était totalement incongru.

– Il s'agissait peut-être d'une parente. Arrêtez de spéculer et tâchons de dénicher quelques faits concrets. »

Ils dépassèrent lentement le café, comptèrent deux cottages et s'arrêtèrent devant le troisième.

« En tout cas, il y a de la lumière, remarqua Agatha. Il doit être chez lui.

– À moins qu'il ne laisse allumé par sécurité. »

Ils descendirent de voiture et se dirigèrent vers la porte du cottage. Agatha sonna.

La porte s'ouvrit. Peter Frampton les dévisagea avec agacement.

« C'est important ? fit-il.

– Nous voulions vous demander un renseignement sur Ivy Cottage.

– Quoi, Ivy Cottage ?

– Cela vous ennuierait-il que nous entrions un instant ? insista Paul.

– Juste une minute », concéda-t-il sans le moindre enthousiasme.

Il se détourna et ils le suivirent dans un petit

salon sombre. Il ne leur proposa pas de s'asseoir, mais resta simplement debout face à eux.

« L'histoire des bijoux de sir Geoffrey Lamont, dit Paul. Y a-t-il un élément de vérité, là-dedans ?

– Je crois que oui, ou plutôt qu'il y en avait. Une brève histoire du village a été publiée au XIXᵉ siècle. Évidemment, l'un des propriétaires, vers 1884, a pratiquement démonté le cottage pierre par pierre en cherchant le trésor, mais il n'a rien trouvé.

– Et des passages secrets ? »

Peter Frampton renversa la tête en arrière et rit à gorge déployée.

« Aucun. J'ai obtenu une fois la permission de Mrs Witherspoon de fouiller Ivy Cottage, mais il n'y avait rien d'anormal. Pas de bijoux, pas de passages secrets.

– Eh bien, voilà, conclut Agatha, déçue. Merci de nous avoir accordé un moment. »

« Bon, et maintenant, que faisons-nous ? interrogea Agatha dans la voiture. Pas de vilain propriétaire d'hôtels, pas de sinistre personnage à la société historique.

– Quelqu'un l'a tuée et ce quelqu'un était vraisemblablement Harry. Attachons-nous à lui.

– Ça ne servira pas à grand-chose. La police aura probablement concentré tous ses efforts sur lui et je ne pense pas que nous puissions en découvrir plus qu'eux. Et la fille ? Si jamais elle savait déjà qu'elle n'hériterait de rien du tout, elle peut avoir tué sa mère dans un accès de fureur.

– Ça attendra demain. Je suis fatigué.

– Et moi, j'ai faim, fit Agatha, espérant qu'il allait l'inviter à dîner.

– Je vous laisse à vos repas micro-ondables », ricana Paul, et elle dut réprimer une forte envie de le frapper.

Agatha dormit comme une masse et fut éveillée par le bruit de l'aspirateur. Doris Simpson, sa femme de ménage, était manifestement arrivée.

Agatha se leva, fit sa toilette et s'habilla, puis descendit juste au moment où Doris quittait la cuisine.

« Bonjour, Agatha, dit Doris, une des très rares femmes du village à l'appeler par son prénom.

– Venez prendre un café avec moi dans la cuisine, Doris. Et racontez-moi les derniers potins.

– Je viens de faire une cafetière et j'ai fait sortir vos chats dans le jardin, précisa Doris en prenant place à la table de la cuisine.

– Merci. Comment va Scrabble ? »

Scrabble était un chat qu'Agatha avait sauvé lors d'une de ses précédentes enquêtes. Trouvant que trois félins, c'était trop, elle en avait fait don à Mrs Simpson.

« Scrabble est en pleine forme, répondit Doris

en déversant trois cuillerées de sucre et une généreuse ration de lait dans sa tasse. Je me demande comment vous pouvez l'avaler noir comme ça. Qu'est-ce que vous voulez savoir ?

– Avez-vous entendu parler de Mrs Witherspoon ?

– La vieille dame qui a été assassinée ? Parce qu'elle a bien été assassinée, n'est-ce pas ? Il y avait quelque chose dans le journal ce matin. Je ne l'ai pas vu, mais on me l'a dit, au village.

– Oui, c'était la conclusion de l'enquête. Alors, vous en avez entendu parler ?

– C'est trop tôt, Agatha. Jusqu'à ce matin, tout le monde croyait que c'était un accident. Mais je vais me renseigner. On dit que vous voyez beaucoup votre nouveau voisin ? »

La tête inclinée sur le côté, elle scruta le visage d'Agatha à travers ses lunettes.

« J'ai voulu prendre quelques renseignements sur Mrs Witherspoon et il m'a donné un coup de main.

– Ce n'est pas bon de fricoter avec des hommes mariés.

– Je ne fricote pas avec lui, répliqua Agatha d'un ton rogue, et il m'a présenté sa femme.

– Ah ! l'Espagnole ! Ce qu'elle était malpolie, celle-là ! Elle a dit à une de mes patronnes que Carsely était aussi joyeux qu'un cimetière et qu'elle n'y remettrait plus jamais les pieds.

– Je crois qu'elle est assez caractérielle, avança Agatha prudemment. Elle voudrait que son mari aille vivre en Espagne.

– Et lui, qu'est-ce qu'il en pense ?

– Il n'a pas l'air d'en avoir envie, mais ça ne me regarde pas », esquiva Agatha en haussant les épaules.

On sonna à la porte.

« J'y vais », dit Agatha.

L'inspecteur Bill Wong se tenait sur le seuil.

« C'est dans l'exercice de vos fonctions ? s'enquit Agatha.

– À moitié, répondit-il en la suivant à l'intérieur. Je me demandais si vous aviez découvert quelque chose.

– Pas grand-chose. Un café ?

– Volontiers. Bonjour, Doris.

– Bonjour, Bill. Je me remets au travail, Agatha. J'ai voulu nourrir les chats, au cas où vous auriez envie de faire la grasse matinée, mais je n'ai pas trouvé de boîtes.

– J'en achèterai tout à l'heure. »

Une fois Doris dans le salon, occupée à passer l'aspirateur avec énergie, Bill glissa :

« Elle ne sait pas que vous nourrissez vos chats avec du poisson frais et du pâté, n'est-ce pas ?

– Je les gâte un peu de temps en temps, reconnut Agatha en rougissant. Bon, et vous, qu'avez-vous appris ?

– Il est difficile de fixer très précisément l'heure de la mort, mais ce soir-là, de vingt heures à minuit, Harry Witherspoon jouait dans *Le Mikado*, avec une troupe de théâtre amateur, à Mircester. Il faisait partie du chœur. Ensuite, il est resté à la soirée qui s'est prolongée jusqu'à une heure tardive au foyer du théâtre.

– Mais elle était en chemise de nuit quand on l'a trouvée. Ça a pu arriver à n'importe quel moment de la nuit.

– D'après le contenu de l'estomac, le médecin légiste évalue plutôt l'heure de la mort aux environs de onze heures du soir.

– Zut ! Et il n'a pas quitté le théâtre un instant ?

– Pas d'après les témoins. Et vous, vous avez mis la main sur quelque chose ?

– Rien du tout, soupira Agatha. Nous avons passé une soirée mortelle à la société historique de Towdey.

– Pourquoi là-bas ?

– Ivy Cottage est une très ancienne construction. Pendant la guerre civile, un Cavalier, sir Geoffrey Lamont, qui fuyait le champ de bataille de Worcester, s'y est réfugié. Il était censé transporter une fortune en or et en joyaux. Son hôte, Simon Lovesey, à l'insu de Lamont, je suppose, penchait du côté de Cromwell et l'a dénoncé. On n'a plus jamais entendu parler du trésor. La légende veut qu'il soit toujours dans la maison.

– Mais c'est le *Club des Cinq*, votre histoire. Un trésor caché, franchement ! s'esclaffa Bill. En tout cas, Simon Lovesey s'est soudain enrichi ou a remis le butin à Cromwell.

– Probablement, acquiesça Agatha. De tous les côtés, on se casse le nez. Mais il n'en reste pas moins que même avant sa mort, quelqu'un a pu s'introduire chez elle : il est bien possible qu'il y ait un passage secret.

– Agatha ! Je suis certain que des générations de propriétaires ont dû retourner toutes les pierres de cette maison pour dénicher ces bijoux. Donc, s'il y avait eu un passage secret, cela ne leur aurait pas échappé.

– Peut-être. Mais est-ce qu'ils en auraient parlé ? Ce que je veux dire, c'est que s'ils sont tombés sur une vieille issue dérobée en cherchant vainement des joyaux, pourquoi auraient-ils jugé bon de le faire savoir ?

– L'espoir fait vivre, ironisa Bill.

– Mais vous, vous n'avez pas mieux, commenta Agatha en allumant une cigarette. Pas de nouvelles des expertises ? Aucune empreinte de pas ?

– Rien d'utile.

– Et la fille, Carol ? Elle a besoin d'argent. Elle aurait pu penser qu'elle allait hériter de quelque chose, ou peut-être qu'elle savait que non, et qu'elle a tué sa mère dans un accès de rage, en plus elle a une clef de la maison.

– C'est une pauvre fille, qui a été très mal traitée par sa mère, mais elle ne semble vraiment pas de taille à préméditer un meurtre de ce genre. Quel que soit l'assassin, c'est un individu froid et calculateur. Ne vous inquiétez pas. Ils s'en occupent.

– Ils ? Pas vous ?

– Non, c'est l'inspecteur Runcom qui est chargé de l'affaire.

– Celui-là ! Ce sale macho !

– Agatha, à quoi bon essayer de parler comme une vieille militante féministe, alors que vous fondez sitôt qu'un homme croise votre chemin ?

– Vous dites n'importe quoi ! Je n'ai pas fondu devant Paul ! »

On sonna.

« J'y vais, cria Doris. C'est Mr Chatterton. »

Agatha couina et s'engouffra dans l'escalier. Bill étouffa un petit rire.

« Dites-lui que je descends dans une minute », recommanda-t-elle.

Quand elle les rejoignit, Bill remarqua qu'elle avait passé une jolie robe d'été et s'était remaquillée.

« On dirait que personne n'arrive à rien, constata Paul et se tournant vers Bill : Vous viendrez à l'enterrement demain ?

– Ce n'est pas moi qui enquête, c'est Runcom et il y sera certainement. »

Paul jeta un regard d'avertissement à Agatha. Comment pourraient-ils escamoter la clef de la maison sans être surpris ?

« Il faut que j'y aille, dit Bill. Si j'apprends quelque chose d'intéressant, je vous en ferai part. »

« Curieux, constata Agatha après son départ.

– Quoi donc ?

– D'habitude, il me demande de rester en dehors de l'histoire et de laisser la police s'en occuper.

– Alors prenez-le comme un hommage à vos talents de détective.

– Ils ne me servent pas à grand-chose cette fois-ci, mes fameux talents.

– Que pouvons-nous obtenir et pas les policiers ? Les commérages. Je pense que nous devrions retourner voir les voisins.

– Greta et Percy ?

– Exactement.

– Ça vaut le coup d'essayer, je suppose. Doris, je sors un moment, ajouta-t-elle, en élevant la voix.

– N'oubliez pas les boîtes pour les chats.

– Entendu. Venez, Paul. »

« N'oublions pas que Greta a menacé Mrs Witherspoon de lui planter son couteau à pain dans l'estomac, rappela Agatha, à l'entrée de Hebberdon.

– Vous connaissiez Mrs Witherspoon. Ça me paraît le genre de gentillesses que pas mal de gens ont dû lui dire. Mais de là à joindre le geste à la parole, il y a un abîme. Oh, regardez ces roses ! s'exclama-t-il, en désignant des rosiers grimpants couverts de fleurs roses et blanches qui retombaient en cascades autour des entrées de deux cottages. C'est comme si Dieu voulait nous dédommager des déluges de pluie qu'on supporte depuis l'automne ! »

Agatha grogna vaguement. Elle se sentait toujours mal à l'aise quand on prononçait devant elle le mot « Dieu ». Mais elle devait bien admettre qu'elle s'était tellement habituée à la beauté des Cotswolds qu'elle avait tendance à ne pas y prêter attention – excepté pendant les deux premiers jours, après un séjour à Londres.

« Bon, voilà Pear Cottage. Commençons par Greta. »

Celle-ci vint leur ouvrir. Elle portait un pantalon et une chemise sans manches. Agatha fut à nouveau frappée par sa musculature. Malgré sa silhouette boulotte, elle semblait ne pas avoir une once de graisse inutile.

« Ah, c'est encore vous, dit-elle. Alors c'est bien un meurtre. Pas étonnant. Je lui aurais volontiers réglé son compte moi-même, à cette vieille chouette. Entrez. »

Ils la suivirent dans son salon et s'assirent.

« La police a l'air de soupçonner son fils, Harry, dit Paul.

– Ce pauvre petit lapin ! Vous savez pourquoi

il ne venait jamais la voir ? Il en avait une peur bleue ! D'après les vieux du coin, elle le battait, quand il était gamin. C'est pour ça qu'il a tourné comme ça.

— Comment ça ? interrogea Agatha.

— Eh bien, c'est une tante, non ?

— Vous voulez dire qu'il est homosexuel ?

— Ça saute aux yeux. Il n'est pas marié. »

Agatha pensa soudain à James, qui était resté célibataire jusqu'à la cinquantaine avant de l'épouser.

« Le fait qu'il ne soit pas marié, assena-t-elle d'une voix glaciale, n'implique pas qu'il soit homosexuel. Et de plus, quand bien même il le serait, cela ne signifie pas qu'il manque de cervelle ou de courage.

— Oh, ricana avec mépris Greta, vous êtes encore une de ces bobos dégoulinant de bons sentiments. »

Paul faillit éclater de rire. Il se demanda si Agatha avait jamais eu à faire face à une telle accusation. Mais, voyant cette dernière prête à repartir à l'assaut, il s'interposa promptement :

« Auriez-vous par hasard entendu raconter des histoires à propos d'un passage secret qui aboutirait à Ivy Cottage ?

— Pas que je sache. Pourquoi ?

— Quelqu'un essayait de la terroriser. Nous y avons monté la garde toute une nuit et il y avait du gaz carbonique qui s'insinuait sous la porte.

– C'était elle. Pour se rendre intéressante.

– Ce n'est pas impossible, dit Paul. D'un autre côté, si c'était quelqu'un d'autre, il y a peut-être une entrée dérobée. Et cette légende, à propos d'un trésor caché dans la maison ?

– Une légende, rien de plus.

– La nuit où elle a été tuée, demanda Agatha, en masquant son antipathie pour Greta, vous n'avez rien vu ou entendu ? Personne du village n'a remarqué un étranger ?

– Laissez donc la police mener l'enquête. Vous croyez qu'ils n'y ont pas pensé ? Leurs hommes sont passés de porte en porte dans tout le village. »

Agatha en avait assez. Elle se leva.

« Merci de nous avoir consacré un moment. Venez, Paul. »

Paul la suivit docilement.

« Quelle garce ! s'écria Agatha.

– Taisez-vous ! Elle va vous entendre et nous pourrions avoir encore besoin d'elle.

– Le Ciel nous en préserve ! En tout cas, j'ai une bonne idée.

– Du genre ?

– Voilà : Harry est maintenant le suspect numéro un, alibi ou non. Je parie que la police pense toujours qu'il a pu filer en cachette à Hebberdon quand personne ne faisait attention à lui.

– Comment ça ? Déguisé en samouraï ?

– Supposons que la représentation se soit terminée vers vingt-deux heures. Ça lui laisse le temps
de se démaquiller, de foncer là-bas, puis de réapparaître juste pour la soirée.

– Où voulez-vous en venir, Agatha ?

– Il pourrait apprécier notre aide. Et en pareil
cas, il nous permettrait peut-être de fouiller la maison.

– Un peu tiré par les cheveux.

– Certes. Mais je lui demanderai demain à l'enterrement.

– Je ne suis pas sûr que ce soit le bon moment.

– Pourquoi ? Il devait détester sa mère, vu la
façon dont elle l'a élevé.

– Pas forcément. Une mère est toujours une
mère.

– Et d'après tout ce qu'on entend, celle-là
était une excellente mère, qui aime bien châtie
bien !

– Allons, allons, Agatha. On ne doit pas médire
des morts.

– Et pourquoi pas ? Je ne fais que rejoindre tous
ceux qui n'ont pas un mot à dire en faveur de cette
vieille folle, et ils sont légion ! Allons voir si Percy
est dans son pavillon. »

Percy Flemming fut enchanté de les voir arriver.

« Un meurtre, un vrai de vrai et à deux pas de
chez moi ! jubila-t-il. Vous prospectez ? La police

est passée, mais je n'avais vraiment rien à leur dire.

– Nous nous demandions si vous aviez eu connaissance d'un passage secret à Ivy Cottage.

– On m'a parlé du trésor, mais jamais d'un passage secret.

– Et vous n'avez rien vu ni entendu dans les parages la nuit du meurtre ? Rien ni personne ?

– Absolument rien. Mais j'ai une théorie.

– Laquelle ? questionna Agatha.

– C'est la fille. Oui, c'est elle qui a trouvé le corps. Mais que faisait-elle la nuit du meurtre ? J'ai interrogé l'un des flics. Il a dit qu'elle n'a pas bougé de chez elle de toute la soirée. Les voisins affirment qu'il y avait de la lumière et que la télévision a fonctionné jusqu'à une heure tardive. Mais si vous voulez mon avis, qu'est-ce qui l'empêchait de laisser la lumière et la télé allumées et de filer à Hebberdon ?

– Je n'ai pas vu de voiture, remarqua Agatha. Comment venait-elle ici, d'habitude ? »

Percy se rembrunit.

« Elle prenait le bus qui arrive le matin, déjeunait avec sa mère et repartait chez elle par le bus de quatorze heures.

– Mais les autobus ne circulent pas le soir, n'est-ce pas ?

– Non. Mais elle a pu louer une voiture.

– C'est juste », admit Agatha, prise d'une soudaine lassitude. Il faisait très chaud dans le pavillon et la lotion après-rasage de Percy manquait de discrétion.

« Merci de votre aide. »

« Quel crétin ! grommela Agatha tandis qu'ils regagnaient la voiture. Et maintenant ?

– Repos, jusqu'à l'enterrement demain. »

6

Une légère bruine embuait les carreaux lorsqu'Agatha se réveilla le lendemain matin. Elle s'arracha non sans peine à son lit et commença à fureter dans sa garde-robe, à la recherche d'une tenue appropriée. Pour une cérémonie anglicane, le noir de la tête aux pieds n'était pas obligatoire, mais des couleurs vives pouvaient choquer. De plus, il lui fallait des vêtements pratiques, qui lui permettraient éventuellement d'agir rapidement – s'emparer d'une clef et filer dare-dare faire faire un double, par exemple. Elle sélectionna pour finir un tailleur-pantalon de soie chocolat avec un chemisier blanc. Elle pouvait mettre des chaussures à talons hauts et emporter une paire de souliers plats dans un sac.

Elle examina anxieusement ses cheveux. Un liseré gris apparaissait aux racines. Agatha émit un couinement de détresse. L'image de Juanita avec sa longue crinière de jais lui revint à l'esprit malgré elle. Elle se précipita dans la salle de bains et fourragea parmi les laques, les shampoings et les lotions colorantes empilés sur une étagère. Oubliant ses expériences antérieures qui lui avaient enseigné les dangers qu'il y avait à recourir à une teinture maison, plutôt qu'aux services d'un coiffeur, elle dénicha un flacon de lotion châtain foncé et commença à l'appliquer.

Elle venait d'attraper son séchoir quand on sonna. Elle jeta un coup d'œil sur sa montre et s'aperçut qu'il était dix heures et demie. Flûte ! Ce devait être Paul. Elle s'enveloppa la tête d'une serviette, passa à la hâte un peignoir sur ses sous-vêtements et descendit quatre à quatre ouvrir la porte.

« Je suis prête dans une minute, dit-elle à Paul.

– Ça m'étonnerait. Dépêchez-vous ! »

Elle remonta au pas de gymnastique, se sécha les cheveux et les mit en forme, enfila à la va-vite son corsage et son tailleur-pantalon et se regarda dans la glace. La pluie avait cessé, un faible rayon de soleil tombait directement sur sa tête. Le liseré gris était maintenant d'un roux flamboyant.

« Agatha ! » clama Paul avec impatience, du rez-de-chaussée. Elle s'empara d'une vaste capeline de suédine brune à bord souple, la plaqua sur son crâne et redescendit en courant.

« On dirait un champignon atteint de la danse de Saint-Guy, commenta Paul. Je suppose que vous êtes quelque part sous ce chapeau. En route ! »

Tout en conduisant, il lui jeta un regard de côté.

« Il n'y a plus de soleil et il fait chaud. Les femmes ne sont plus obligées de porter des chapeaux aux enterrements, vous savez.

– J'aime bien celui-ci, et il est très tendance, répliqua Agatha d'un ton agressif.

– Ça ne m'avait pas frappé.

– Vous êtes toujours aussi courtois ?

– Non, pas toujours, mais en la matière, vous êtes un excellent professeur. »

Tous deux retombèrent dans le silence jusqu'à leur arrivée à l'église. Paul gara la voiture près du mur d'enceinte et ils traversèrent le cimetière.

« Ça m'étonnerait qu'on l'inhume ici, commenta Paul en regardant autour de lui.

– Pourquoi ?

– Il n'y a plus un pouce de libre. Avez-vous remarqué qu'à la télévision, quand il y a un enterrement, c'est généralement dans un cimetière anglais du temps jadis ? Ça ne se fait plus maintenant. Les morts anglais du temps jadis les occupent déjà. »

Une brise espiègle voltigea à travers le cimetière et emporta le chapeau d'Agatha.

« Je vous le rapporte », dit Paul en partant à sa poursuite. Il revint avec une loque trempée.

« Vous ne pouvez pas remettre ça. Il a atterri dans une flaque, annonça-t-il, puis, contemplant son crâne : Cheveux bruns, racines rouges. Tout à fait seyant, vous savez. »

Furieuse, Agatha lui prit le chapeau des mains et le planta au sommet d'une pierre tombale.

« Tiens, voilà Runcom qui entre dans l'église, lui souffla Paul.

– Et Carol aussi, s'étonna Agatha. Tirée à quatre épingles, et l'air tout à fait guillerette. Allons voir qui d'autre est là. »

Ils pénétrèrent dans la pénombre de la nef. Elle était presque comble. Agatha repéra Greta Handy et Percy Flemming assis côte à côte. Elle supposa que les autres étaient des villageois poussés par la curiosité.

« Voilà Peter Frampton, qui entre avec cette fille bizarre, Zena. » chuchota Paul.

Agatha et Paul s'étaient installés au fond de la petite église, de façon à embrasser du regard l'assistance. Peter remonta l'allée centrale, Zena au bras. Elle portait une robe d'un rouge mat en cotonnade indienne, un long collier de perles de bois et des bottillons, qui claquaient sourdement sur le sol. Elle avait lâché et lissé ses cheveux qui lui tombaient jusqu'aux hanches. Elle tourna la tête pour voir ce qui se passait dans l'église. Elle arborait un fond de teint cuivré avec les paupières et les lèvres violettes.

« Curieux couple, murmura Agatha. Elle pourrait être sa fille.

– J'en doute, répondit Paul. Et si jamais il n'y avait pas de réception, au fait ?

– On va à Ivy Cottage, en priant pour qu'il y en ait une.

– Je me demande s'ils commencent toujours par : "Mes très chers frères, nous sommes rassemblés ici, etc." Sans doute pas. Je déteste ces traductions modernes de la Bible. Il leur manque toute la beauté de la langue de la version du roi James et la foi inconditionnelle qui l'imprègne. »

La musique solennelle de l'orgue emplit l'église. On fit entrer le cercueil. L'un des porteurs était Harry, les autres sans doute des employés des pompes funèbres. Le service commença. Il fut simple et digne. Le pasteur prononça une courte homélie, on entonna les cantiques traditionnels. Il n'y eut pas d'éloge funèbre : à l'évidence, personne n'était suffisamment hypocrite pour chanter les louanges de la chère défunte.

Tout le monde se leva quand on emporta le cercueil pour le charger dans le corbillard.

Agatha et Paul suivirent l'assistance vers le parvis, où Harry et Carol, côte à côte, recevaient les condoléances. Agatha, nerveuse, appréhendait une explosion, mais Harry les remercia d'être venus, ajoutant :

« Carol et moi serions heureux de vous accueillir à Ivy Cottage où quelques rafraîchissements nous attendent. Nous aimerions vous parler en privé.

– Allons-nous d'abord au cimetière ? demanda Agatha.

– Non, maman va être incinérée. Les gens des pompes funèbres s'en chargent. »

Tandis qu'ils regagnaient leur voiture, Agatha déclara :

« Voilà qui est prometteur.

– Possible. Ou peut-être veulent-ils seulement nous donner un avertissement. Vous ne récupérez pas votre chapeau ?

– Laissez-le là où il est. Avez-vous remarqué que Carol et Harry semblaient en excellents termes ?

– Peut-être jouaient-ils la comédie.

– Mais Carol avait presque l'air *heureuse* et elle était fort élégante.

– Bon, on verra bien ce qu'ils ont à nous dire.

– S'ils paraissent bien disposés, nous pourrons tout simplement leur demander la permission d'examiner la maison. »

Ils attendirent dans l'auto que tous les fidèles se soient dispersés, Carol et Harry en dernier, et les rejoignirent au cottage.

Des canapés et du sherry avaient été préparés. Agatha les dévora des yeux mais Paul lui murmura :

« Allez chercher la clef.

– Alors donnez-moi celle de votre voiture. Il faudra que je trouve un serrurier. Il y en a un à Moreton.

– Ou le cordonnier de Blockley, conseilla Paul. Ça ira plus vite. »

Comment avaient-ils pu avoir la stupidité de se

figurer que la clef les attendrait gentiment dans la serrure ? se demanda Agatha. Au demeurant, il n'y avait pas une, mais quatre serrures. Elle voulut aller voir à la cuisine, à l'arrière de la maison, mais battit en retraite en y trouvant deux femmes qui préparaient des canapés et les disposaient sur des assiettes.

Elle rejoignit Paul, qui la regarda avec surprise.

« Vous avez fait vite !

– Je n'ai rien fait du tout, répondit-elle sèchement. Nous aurions dû nous douter qu'ils ne laisseraient pas tout simplement les clefs sur la porte, et il y a quatre serrures.

– Alors il nous faudra compter sur leur bonne volonté. Prenez un sandwich, moi je vais aller voir si ce serait plus facile par-derrière.

– J'ai essayé. Il y a des femmes dans la cuisine.

– Je vais quand même faire un tour. »

Paul disparut et Percy Flemming s'approcha d'Agatha.

« Je suis surprise de vous voir ici, remarqua-t-elle.

– J'aime bien assister aux enterrements, susurra-t-il. Je transpose la note sombre et le rituel dans mes livres.

– Je ne vois pas Peter Frampton, constata Agatha en regardant autour d'elle.

– Oh, le type de la société historique. Il assiste à toutes les cérémonies de l'église de Towdey uniquement parce qu'il est du village.

– Qui est la fille qui l'accompagnait, Zena je ne sais quoi ?

– Zena Saxon. Elle est tombée du ciel, pour ainsi dire. Elle possède une garde-robe merveilleuse, vous ne trouvez pas ? Sa tenue d'aujourd'hui était digne d'une communauté hippie des années 60.

– Mais elle, d'où sort-elle ?

– Une tante lui a légué un cottage à Towdey, l'année dernière. Où elle vivait avant, je n'en sais rien. Elle et Peter forment un couple d'inséparables. Choquant à mon avis, vu la différence d'âge.

– Il a de l'allure.

– Mais un Style assez Histrionesque, vous ne trouvez pas ? » Percy donnait souvent l'impression de mettre des majuscules au début de certains des mots qu'il employait. « C'est un fanatique du XVIIe siècle. Oh, voilà ce raseur de policier ! »

Il s'esquiva et l'inspecteur Runcom prit sa place.

« J'espère que vous n'êtes pas en train de vous mêler de notre enquête, dit-il.

– Nous rendions un dernier hommage à la défunte.

– Un mot d'avertissement, Mrs Raisin. Il n'y a que dans les livres que les vieilles biques du village aident la police. Dans la vraie vie, elles ne servent qu'à enquiquiner tout le monde.

– Pareil pour vous, répliqua Agatha avec fureur. Fichez-moi le camp.

– Vous êtes prévenue. »

Agatha se détourna et s'éloigna. Elle alla trouver Carol, qui prenait tout juste congé de Greta Handy, et lui demanda à voix basse :

« Vous vouliez nous voir ?

– Pourriez-vous attendre un moment ? Les autres ne vont pas tarder à s'en aller. »

Mais il s'écoula encore une heure avant que tout le monde ne soit parti et Agatha était justement en train de se dire qu'elle allait s'entretenir seule avec Carol et Harry quand Paul réapparut.

« Bon, dit Harry, quand le dernier invité les eut quittés, asseyez-vous, je vous en prie. »

Fatiguée de rester debout, Agatha se laissa tomber dans un fauteuil avec reconnaissance.

« Voilà la situation, dit Harry, j'ai un alibi, mais la police me suspecte toujours. Ni Carol ni moi ne pouvons toucher un sou jusqu'à ce que j'aie été totalement blanchi.

– Mais je croyais que Carol n'héritait de rien du tout.

– Ce cher Harry s'est arrangé avec les notaires pour que j'aie la moitié de tout, expliqua Carol en dédiant un sourire radieux à son frère. Nous avons discuté, vous voyez, et nous nous sommes aperçus que maman s'était ingéniée à nous monter l'un contre l'autre.

– Si vous finissez par toucher cet argent, demanda Agatha, s'adressant à Harry, vous garderez votre magasin ?

– Non, je m'en déferai. Les affaires marchaient plutôt bien jusqu'à il y a deux ans. Les impôts ont augmenté, les ventes chuté, ce qui m'a fait beaucoup de tort. J'ai trop investi, aux dernières ventes aux enchères, dans des antiquités qui ne trouvent pas preneur.

— Alors pourquoi souhaitiez-vous nous voir ? questionna Paul.

— Les enquêteurs ne se fatiguent pas, car ils pensent que c'est soit moi, soit Carol. Aussi, nous voudrions que vous démasquiez l'assassin de maman. Quand nous hériterons, nous vous dédommagerons.

— Oh, ça n'a pas d'importance, lâcha Agatha, avec toute la désinvolture et l'insouciance des nouveaux riches. Nous enquêtions de toute façon. Ce que nous nous demandions, c'est si vous nous laisseriez explorer le cottage. Vous comprenez, la personne qui essayait de terroriser votre mère avait certainement trouvé un moyen d'entrer. Il pourrait y avoir un passage secret ou quelque chose de ce genre.

— Un peu plus tard, peut-être, répondit Harry, après un coup d'œil à sa sœur. Il faut d'abord que nous finissions ici.

— Alors, si vous nous prêtiez les clefs, nous pourrions revenir quand il n'y aura plus personne, proposa Paul.

— Ça ne me paraît pas nécessaire, s'entêta Carol. La grande question, à mon avis, c'est : qui l'a tuée ?

— Mais vous ne voyez donc pas que si ce n'est ni vous ni Harry, cela signifie que quelqu'un d'autre peut s'introduire dans la maison ! expliqua Agatha, exaspérée.

– Carol et moi sommes un peu secoués après cet enterrement. Pouvons-nous en rester là pour le moment ? » coupa Harry en se levant. Et sans attendre leur réponse, il traversa la pièce et leur ouvrit la porte.

« Eh bien ! s'exclama Agatha une fois dans la voiture. Qu'est-ce que vous en dites ?

– Très bizarre, acquiesça Paul. Ils veulent qu'on trouve le meurtrier et à l'idée même que nous puissions fouiller la maison, on se retrouve face à un mur ! Ça ne fait rien, j'ai une clef.

– Vous avez une clef ! Comment avez-vous fait ? Où l'avez-vous prise ?

– Il y a deux portes qui donnent sur l'extérieur à l'arrière de la maison. Celle de la cuisine, qui a plusieurs serrures et des verrous, mais il y en a aussi une dans l'arrière-cuisine. C'est une vieille porte toute poussiéreuse, qui n'a probablement pas été utilisée depuis des années. Mais il y avait une clef dans la serrure, et j'ai pu la subtiliser. J'ai raconté aux femmes qui étaient dans la cuisine que j'avais perdu mon calepin pendant notre chasse aux fantômes, ce qui me fournissait un prétexte pour fureter par là. Une fois en possession de la clef, j'ai roulé à tombeau ouvert jusqu'à Moreton pour faire faire un double. Tentons le coup cette nuit.

– Dommage d'être obligés de nous déplacer à quatre pattes à la lueur d'un briquet.

– J'y ai réfléchi. Ni Carol ni Harry n'habitent dans les parages. À moins de passer juste devant la maison, personne ne verra la lumière. Nous allumerons et nous commencerons à chercher. Si jamais quelqu'un s'amuse, disons, à promener son chien au milieu de la nuit et se pose des questions, il sonnera à la porte de devant et nous filerons par l'arrière. »

Agatha se pétrifia soudain, comme hypnotisée par le bras de Paul qui tenait le volant, à deux doigts d'elle. Il avait jeté sa veste sur le siège arrière avant de démarrer. Ce bras était bronzé et musclé. Elle fut traversée par un frisson de sensualité, puis se souvint de Juanita. Mieux valait abandonner la partie. Peut-être y avait-il quelque part au monde un charmant célibataire, intelligent et attentionné, qui serait tout prêt à partager sa vie pour toujours.

Agatha n'avait pas considéré le noir comme de rigueur pour un enterrement, mais elle estima qu'il était indispensable pour une visite par effraction. La soirée était chaude et humide. Elle n'avait pas de chemisier noir, mais elle le remplaça par un léger chandail avec un pantalon noir et des chaussures plates noires. Paul devait venir la chercher à deux heures du matin. Juste avant son arrivée, elle décida de jouer le jeu intégralement et récupéra dans la cheminée du salon une poignée de suie dont elle se grima.

Paul se présenta à deux heures pile et fit un bond en arrière en la voyant, avant d'articuler d'une voix défaillante :

« Arrière, Satan !

– À quoi bon nous habiller de noir, si on voit nos visages blancs à deux kilomètres à la ronde ? se rebiffa-t-elle.

– Oh, allez vous débarbouiller. Si jamais quelqu'un est encore debout et vous voit passer avec vos peintures de guerre, tout Carsely se répandra en commérages dès demain matin ! »

Agatha se débarrassa de sa suie et se maquilla. Alors qu'ils traversaient Carsely, Mrs Davenport qui regardait par la fenêtre de sa chambre, les aperçut. Elle pinça les lèvres d'un air réprobateur. Il serait bon que Mrs Chatterton sache que son mari traînait avec cette mégère. Ils s'imaginaient probablement échapper aux ragots en cachant leurs rendez-vous dans un hôtel quelconque. Mais sa femme était à Madrid.

« Je me demande si Mrs Bloxby a l'adresse de Mrs Chatterton », rumina Mrs Davenport.

Comme la fois précédente, ils se garèrent hors du village et gagnèrent Ivy Cottage à pied.

Sa silhouette obscure et sinistre se dressait dans la clarté de la lune. Une légère brise faisait frémir et chuchoter le lierre. Agatha éprouva un certain malaise.

« Vous ne croyez pas qu'elle pourrait réellement être hantée ? suggéra-t-elle.

– Absurde. Faisons le tour. »

Il fit coulisser le loquet d'un portail latéral. Les gonds émirent un grincement inquiétant qui résonna dans le silence de la nuit. Agatha regretta soudain de ne pas être blottie au fond de son lit, bien en sécurité, en compagnie de ses chats. Elle se sentait toute petite, perdue et tellement isolée. Elle se demanda ce que Paul pensait d'elle.

« Nous y voilà, triompha Paul, en allumant sa lampe de poche. L'arrière de la maison est là et la porte de l'arrière-cuisine devrait être par ici, après celle de la cuisine. »

Agatha suivit le rayon dansant de la torche jusqu'à ce qu'il se pose sur la porte qu'ils cher-chaient.

« Je n'aime pas ça du tout, murmura-t-elle, ça ne me paraît pas vraiment une bonne idée.

– Chut ! intima-t-il en tirant de sa poche une clef, qu'il inséra dans la serrure. Elle est rudement dure, marmonna-t-il. J'aurais dû apporter un peu d'huile. »

Il appuya de toutes ses forces. La clef tourna avec un crissement déplaisant.

Paul entra doucement, suivi d'Agatha qui referma la porte.

« La première chose à faire, à mon avis, est de

voir s'il y a une cave. Ce serait un bon point de départ. »

Ils traversèrent la cuisine et s'engagèrent dans un couloir dallé qui menait à l'entrée. Paul s'arrêta devant une porte basse.

« Ça pourrait être ça, dit-il. On a de la veine, la clef est dans la serrure. »

Il ouvrit la porte et promena le rayon de sa torche sur les murs jusqu'à ce qu'il ait repéré le bouton électrique. La faible lumière d'une ampoule de basse intensité éclaira un escalier de pierre raide.

« On descend ! » dit Paul avec entrain.

Agatha le suivit lentement, l'oreille tendue, guettant les hurlements d'une sirène de police.

Paul trouva un autre interrupteur au bas des marches. Agatha le rejoignit et, épaule contre épaule, ils inspectèrent la cave. Elle était remplie de vieilles malles et de caisses.

« Mais ça va nous prendre des années de fouiller tout ça, gémit Agatha.

— N'oubliez pas que ce que nous cherchons, c'est une issue dérobée. »

Agatha soupira.

« Je vais examiner ces deux murs et vous les deux autres.

— Je me demande…

— Quoi ? s'impatienta Agatha, qui n'avait qu'une envie, celle d'en finir au plus vite.

— Si quelqu'un s'est introduit de l'extérieur, il a aussi pu emprunter un tunnel depuis le jardin.

« – Mais il fait des hectares et des hectares, le jardin !

– Ce que j'entends par là, c'est qu'il pourrait y avoir une trappe ou quelque chose de ce genre dans le sol.

– S'il y en avait eu une, Mrs Witherspoon l'aurait trouvée.

– Pas nécessairement. Une bonne partie de ces vieilleries devait déjà être dans la maison avant sa naissance. Regardez le nom sur cette malle : Joseph Henderson. Tenez, ajouta-t-il en se penchant pour inventorier le contenu d'une caisse, voilà des manuels scolaires datés de 1902. Je parie qu'elle a simplement laissé tout ce fatras sans jamais y toucher.

– Mais Carol et Harry ont bien dû descendre quand ils étaient enfants.

– Sauf si elle le leur avait interdit, avança Paul en s'attaquant à d'autres caisses. Non, voilà les livres de Harry et quelques poupées qui devaient être à Carol.

– Le sol est tapissé de poussière, nota Agatha avec un intérêt soudain. Tâchez de voir si certaines caisses ont été déplacées. »

Elle heurta en reculant un vieux cheval à bascule et laissa échapper un glapissement d'effroi lorsqu'il se mit à se balancer comme s'il y avait encore un enfant sur son dos.

Une heure se passa en vaines recherches.

« C'est sans espoir », dit Agatha en s'écroulant

sur une malle. Elle avait déplacé tant d'objets divers qu'elle en avait mal aux bras. Paul vint s'asseoir près d'elle.

« Nous avons tout déménagé, en vérifiant sous chaque objet, soupira-t-il.

– Sauf sous ce gros coffre de bois là-bas, répondit-elle. Il était trop lourd, je n'ai pas pu le remuer.

– Qu'est-ce qu'il y a dedans ?

– Je n'ai pas regardé.

– Agatha !

– Je suis fatiguée et je meurs de peur qu'on nous surprenne.

– Attendez juste que je jette un coup d'œil à l'intérieur. Où est-il ?

– Sous cette pile de vieux rideaux. J'ai fait attention à tout remettre exactement en place. »

Agatha extirpa de sa poche un paquet de cigarettes et un briquet. Paul, qui se dirigeait vers le coffre, se retourna.

« Pas question, Agatha. L'odeur resterait. »

Boudeuse, Agatha rangea ses cigarettes et étouffa un bâillement.

Paul déplaça les rideaux, dans un nuage de poussière qui le fit éternuer. Il souleva le couvercle du grand coffre.

« Encore des rideaux, constata-t-il en les sortant.

– Il y a quelque chose en dessous ? demanda Agatha.

– Rien du tout. Ah, attendez... Le bois est éraflé, tout au fond, sur le bas des parois.

– Et alors ? » fit Agatha, qui mourait d'envie de griller une cigarette.

Paul fourragea dans sa poche et en tira un couteau. Sa tête disparut dans le coffre.

« Le fond est amovible. En forçant un peu, on peut l'enlever. »

À grand-peine, Paul réussit à extraire le fond du coffre.

« Regardez ça », dit-il en se redressant.

Une trappe se dessinait dans le sol, son abattant équipé d'un anneau qui semblait flambant neuf. Paul l'agrippa et tira. Le panneau joua, se souleva et bascula dans un choc retentissant contre la paroi du coffre. Paul jura, tous deux attendirent un moment en silence.

« C'est bon, affirma Paul avec un petit rire mal assuré. Je doute qu'on puisse entendre quoi que ce soit de ce qui se passe au fond de cette cave. Je descends. Regardez ces marches de bois, certaines ont l'air toutes neuves, comme si on venait de les réparer. »

Il s'aventura prudemment dans l'escalier, sa torche à la main, Agatha sur ses talons. Ils se retrouvèrent dans un couloir de pierre. L'atmosphère y était sèche et chargée de poussière, le plafond si bas qu'ils devaient se casser en deux pour avancer.

« Mais si l'air est suffisamment vicié pour nous

tuer ? s'inquiéta Agatha, cramponnée à l'ourlet du tricot de Paul.

– J'ai oublié d'apporter un canari, comme faisaient les mineurs auparavant, plaisanta-t-il. Pas de problème avec l'air, d'ailleurs il se rafraîchit un peu. Nous approchons peut-être du bout. »

Ils continuèrent en silence.

« C'est un cul-de-sac. Mais tiens, encore un escalier. Il y a certainement une autre trappe », déclara enfin Paul.

Il gravit les marches, tandis qu'Agatha attendait anxieusement. Elle l'entendit ahaner en s'efforçant de soulever quelque chose. Puis il y eut un choc sourd.

« Montez, chuchota Paul. Nous sommes arrivés quelque part dehors. »

Agatha commença à monter. Elle laissa échapper un couinement en recevant une petite avalanche de feuilles et de rameaux.

« Désolé, lui cria Paul, je suis en train de déplacer un tas de branchages qui recouvrait la trappe. »

Agatha émergea au milieu d'un épais fourré, dans la semi-obscurité.

« Si nous avançons courbés, nous pourrons sortir de là sans déchirer nos vêtements, dit Paul. Il y a une sorte de tunnel à travers la végétation. »

Agatha suivit le rayon de sa torche. Une fois hors du fourré, ils se trouvèrent assez loin de la maison, tout au fond du jardin, dans un coin qui paraissait n'avoir jamais été entretenu. Les hautes herbes et les buissons y poussaient dru.

« Nous savons maintenant par où l'intrus pénétrait, constata Paul.

– Sortons de là, répondit Agatha. Je commence à avoir la chair de poule.

– D'accord. Descendez, et je vais essayer de reconstituer le camouflage autant que possible avant de refermer la trappe. »

Agatha attendit au pied de l'escalier que Paul ait terminé sa manœuvre et la rejoigne avec la lampe électrique. Il passa devant elle et elle le suivit, pliée en deux pour ne pas se cogner la tête au plafond. Il s'arrêta brutalement à mi-chemin.

« Qu'est-ce qui vous arrive ? siffla Agatha.

– Il y a une alcôve ici, une sorte de niche comme celles où les cheminots s'abritent au passage des trains, dans les tunnels, annonça-t-il, en éclairant l'intérieur. Rien là-dedans. »

Il braqua sa torche vers le haut.

« Je pense que c'est une espèce de cheminée, comme une ancienne prise d'air, qui est désormais obstruée par le haut. Agatha, si je vous fais la courte échelle, vous pourriez vérifier à tâtons s'il y a quelque chose de caché là.

– Oui, bon, marmotta Agatha. Mais je ne me sentirai tranquille que quand nous serons sortis d'ici. »

Paul la souleva. Agatha tâtonna aussi haut que possible dans l'orifice et déclencha une pluie de feuilles sèches et de gravats. Paul fut atteint au visage par une pierre et lâcha Agatha juste au moment où sa main rencontrait un morceau de fer saillant, à l'intérieur de l'alcôve. Elle s'y cramponna désespérément, mais la tige métallique céda. Agatha s'effondra sur Paul. Tous deux roulèrent sur le sol sous une grêle de débris et de feuilles supplémentaires.

« Ce que vous êtes lourde, grogna Paul en la repoussant. J'ai laissé échapper la torche et ce sale machin s'est éteint. Aidez-moi à la retrouver. »

À quatre pattes, ils furetèrent à l'aveuglette jusqu'à ce que Paul s'écrie :

« Je l'ai !

– J'ai trouvé un paquet ou un truc quelconque ! s'exclama Agatha au même moment. Ça a dû dégringoler de là-haut. Allumez la lampe !

– Si elle marche encore. Oui, c'est bon. Qu'avez-vous trouvé ? »

Le mince rayon de lumière éclaira un paquet enveloppé de cuir poussiéreux.

« Ça a dû tomber de quelque part, dit Agatha. Emportons-le et sortons de cette maison. Ce ne sont pas les bijoux en tout cas, on dirait plutôt un livre ou quelque chose de ce genre. »

Elle ne se sentit soulagée que lorsqu'ils eurent remonté l'escalier secret, puis celui de la cave et se retrouvèrent enfin dehors. Ils se dépêchèrent de regagner la voiture.

« J'espère que personne ne nous a vus, murmura

Agatha en s'affalant, haletante, sur son siège. Et maintenant, que faisons-nous ? Nous devrions parler à la police de ce passage. C'est par là que l'on a pénétré pour effrayer la vieille dame.

– Impossible, répondit Paul, ils voudront savoir comment nous l'avons découvert. Rentrons chez vous et examinons un peu notre trouvaille. »

Une fois chez Agatha, celle-ci plaça avec révérence le paquet de cuir sur la table de la cuisine. Paul le déballa avec précaution et en sortit un livre relié de cuir. Il l'ouvrit.

« Un journal ! s'exclama-t-il. Le journal de Lamont !

– Est-ce qu'il parle du trésor ? s'enquit Agatha.

– Voyons voir. C'est un récit détaillé des préparatifs de la bataille de Worcester avec un inventaire des provisions et des armes, annonça Paul, puis, tournant quelques pages : Et voilà une description du combat.

– Passez directement à la fin, dit Agatha, au comble de l'excitation. Il aura caché le trésor quand il s'est rendu compte qu'ils étaient vaincus.

– Ne me bousculez pas ! »

Il feuilleta le livre jusqu'au bout avec une lenteur qu'Agatha jugea exaspérante.

« Nous y voilà. Il a dû écrire cette dernière partie lorsqu'il était réfugié chez Simon Lovesey. *L'Or et les Joyaux que j'avais en ma possession, je les ai enterrés dans le Champ de Timmin, au nord de Worcester, avant de chercher asile à Hebberdon par*

des Chemins Détournés. Je n'en ai point informé
Mon Hôte bien qu'il m'en presse d'étrange façon.
Je vais cacher ce Journal jusqu'à ce que je me sois
bien assuré de sa Fidélité à notre Cause. »

Paul ferma le livre, les yeux brillant d'excitation.

« Eh bien, maintenant, nous connaissons l'emplacement du trésor.

– Allons voir demain, s'écria Agatha. Si nous trouvons quelque chose, nous vérifierons s'il existe encore des descendants de Lamont.

– Le champ de Timmin, murmura Paul qui réfléchissait. Timmin devait être un fermier.

– J'ai une carte d'état-major de la zone de Worcester », se rappela Agatha, qui sortit précipitamment et revint avec le document.

Ils déchiffrèrent en vain les noms de toutes les fermes au nord de Worcester : le nom de Timmin n'y figurait pas.

« La ferme peut avoir été vendue depuis une éternité, constata Paul. Ce qu'il nous faut, ce sont des plans cadastraux du XVIIe siècle.

– Nous irons demain consulter le cadastre de Worcester, dit Agatha. En attendant, nous ferions mieux de dormir un peu. »

Elle le reconduisit à la porte. Paul s'inclina vers elle en souriant.

« Rien ne peut vous abattre, Agatha. Rien d'aussi passionnant ne m'est jamais arrivé. »

Il la prit dans ses bras et l'embrassa sur la bouche.

Frappée de stupeur, Agatha le regarda avec de grands yeux.

« Bonne nuit, lui souhaita-t-il doucement. À demain dix heures. Dormez bien. »

Agatha referma soigneusement la porte derrière lui et ce fut presque en dansant qu'elle monta se coucher, le cœur battant la chamade. Il allait divorcer de Juanita et l'épouser ! James Lacey lirait l'annonce de leur mariage dans les journaux et elle espérait bien qu'il aurait le cœur brisé !

Le duo surexcité qui prit la route de Worcester le lendemain avait perdu tout souvenir du meurtre. Le soleil illuminait la vallée d'Evesham, jusqu'aux collines de Malvern. Agatha était au volant. Elle était maîtresse de la situation, avait à ses côtés un bel homme qui l'avait embrassée la nuit précédente et était lancée sur la piste d'un trésor.

Ce fut lorsqu'elle se gara devant les bureaux du cadastre qu'un premier nuage assombrit son horizon mental.

« Worcester est une très grande ville, risqua soudain Paul, prudent. Elle devait être beaucoup moins étendue au XVIIᵉ siècle.

– Ne jouez pas les rabat-joie, répondit Agatha. Champ de Timmin, nous voilà ! »

Ils demandèrent les cadastres de Worcester pour une période couvrant le milieu du XVIIᵉ siècle.

« Zut ! dit Agatha quand ils se penchèrent tous deux sur la première carte. Worcester est effectivement minuscule, là-dessus !

– Voyons. Au nord. Cherchons au nord. »

L'index effilé de Paul se déplaça sur le papier.

« Le voilà ! s'exclama-t-il. Le champ de Timmin. Timmin devait être le fermier d'un grand propriétaire. Le champ fait partie du domaine de Burnhaddomm.

– Allons-y ! dit Agatha, hors d'elle d'excitation. Nous devrions acheter un détecteur de métaux et…

– Agatha, l'interrompit Paul. Le site peut être complètement bâti de nos jours, il faudrait se reporter à une carte moderne.

– J'ai apporté la mienne », répliqua Agatha en fouillant dans son vaste sac à main.

Ils la déplièrent et comparèrent les deux cartes.

« L'emplacement a été entièrement aménagé. Il y a une galerie commerçante dessus et des maisons sur des kilomètres autour.

– Allons tout de même y jeter un coup d'œil, répondit Agatha avec détermination. Le champ est peut-être devenu un parking maintenant, ou un lieu où l'on pourrait faire des excavations.

– Mais Worcester a continué à se développer depuis 1651, objecta Paul. Nous devrions consulter les cadastres des XVIIIe et XIXe siècles au préalable.

– Pourquoi ?

– Réfléchissez, Agatha. Pour construire n'importe quel bâtiment sur ce champ, il fallait creuser le sol d'abord. Creuser profondément pour les caves des maisons. On aurait certainement trouvé le trésor et, croyez-moi, les gens ne s'en seraient sûrement pas vanté. »

Ils se firent apporter les cadastres des XVIIIe et XIXe siècles et les étudièrent soigneusement.

« Regardez cette carte-là, dit Paul, celle du XIXe. Il y a des rangées et des rangées de maisons juste là où était le champ de Timmin, et même une église.

– Il y a sûrement une erreur ! On n'aurait pas démoli une église ! »

Paul se leva et revint avec un cadastre daté de 1945.

« Voilà la réponse, dit-il. Cette zone a été bombardée pendant la guerre. Rendons tous ces registres. »

« Je veux quand même aller voir, s'entêta Agatha une fois dehors.

– À votre guise, mais ça ne servira à rien. Prenez le volant, je vous guiderai. »

Agatha freina pour finir devant une gigantesque galerie commerçante.

« À votre avis, quelle était la superficie du champ de Timmin ?

– Environ trois hectares, je dirais.

– Eh bien, cette monstruosité en couvre bien plus. Vous aviez raison. Avec toutes ces constructions et ces excavations, le trésor a dû s'évaporer depuis belle lurette.

— Et nous voilà avec un précieux récit de la guerre civile sur les bras, mais nous ne pouvons avouer à personne comment il nous est tombé entre les mains. Allons manger un morceau, et nous déciderons de la prochaine étape.

— J'ai besoin de quelque chose de réconfortant et mauvais pour la ligne.

— Alors faites demi-tour et retournez un peu en arrière. J'ai vu une de ces cafétérias où on sert des brunchs à toute heure. »

Agatha engloutit une copieuse plâtrée d'œufs, de saucisses, de bacon et de frites, puis se laissa aller contre le dossier de sa chaise avec un soupir repu.

« Maintenant, je suis en état de réfléchir. La priorité, c'est de régler la question de ce que nous allons faire avec le livre de Lamont.

— J'y ai juste jeté un coup d'œil rapide. C'est un récit très détaillé, d'une écriture très dense, pour autant que j'ai pu en juger. Il faudrait vérifier si sir Geoffrey Lamont a eu des descendants, et si jamais il en reste, ne serait-ce qu'un seul, nous lui enverrons le journal anonymement.

— Il y a quelque chose de vraiment ennuyeux, reprit Agatha.

— Quoi donc ?

— Le passage secret. Vous avez remarqué que les marches avaient été réparées. Je pense que Harry et Carol connaissent le souterrain. Manifestement, ils ne souhaitaient pas que nous le cherchions. Nous ne pouvons pas en parler à la police, ou nous serons obligés d'expliquer notre présence dans la maison. Même si nous parvenions à mettre Bill sur la piste d'une manière ou d'une autre et que leurs experts y descendaient, ils relèveraient nos empreintes digitales partout, puisque nous ne portions pas de gants.

– Mais si Carol ou Harry étaient au courant de son existence, pourquoi nous auraient-ils demandé de démasquer le meurtrier ? Si l'un d'entre eux ou tous les deux avaient assassiné leur mère ? »

Agatha, les sourcils froncés, grimaça abominablement. Puis son visage s'éclaira.

« Et s'ils n'avaient ni l'un ni l'autre commis le crime, mais avaient juste utilisé le passage pour essayer de flanquer une crise cardiaque à leur mère ? »

Paul secoua la tête : « Pas vraisemblable. Ils étaient bien placés pour savoir, tous les deux, que leur mère ne se laisserait pas si facilement terroriser.

– Attendez une minute. Je viens de penser à quelque chose. Pourquoi Harry a-t-il proposé la maison de sa mère à cette chaîne d'hôtels *avant* sa mort ?

– Nous ferions aussi bien d'aller lui poser la question, vous ne croyez pas ? »

Ils se rendirent d'abord au magasin, mais c'était un samedi après-midi et une pancarte « FERMÉ » était fixée sur la porte.

« Curieux, remarqua Agatha. Il passe des tas de touristes à Mircester. On aurait imaginé qu'il resterait ouvert le samedi.

– Essayons chez lui », répondit Paul.

Au même moment, Mrs Bloxby parlementait, non sans méfiance, avec Mrs Davenport.

« Vous dites que vous voulez l'adresse de Mrs Chatterton à Madrid ? Pourquoi ne pas la demander directement à Mr Chatterton ?

– C'est ce que je ferais, répliqua Mrs Davenport aigrement, s'il était quelquefois chez lui, mais il est toujours par monts et par vaux avec la Raisin. Moi, je trouve ça scandaleux, pour une femme de son âge, et en plus avec un homme marié.

– Mrs Raisin et Mr Chatterton sont du même âge, déclara très posément la femme du pasteur. Ils enquêtent sur ce meurtre. C'est tout. J'espère que vous allez garder cela à l'esprit et ne pas vous répandre en médisances dans tout le village. »

Sur cette fin de non-recevoir, Mrs Davenport quitta le presbytère. Comment mettre la main sur cette adresse ? Qui d'autre pouvait bien la détenir ? Elle pensa alors à Miss Simms, la secrétaire de la Société des dames. Elle possédait une liste d'adresses. Juanita avait assisté une fois à une réunion. Miss Simms avait peut-être noté ses coordonnées. Elle se dirigea vers les logements sociaux du village. Elle ne parvenait pas à comprendre pourquoi une association aussi respectable que la Société des dames pouvait employer comme secrétaire une mère célibataire, hébergée par la commune. Vraiment-pas-une-personne-du-même-monde-que-nous, songea amèrement Mrs Davenport en remontant la petite allée bien ratissée qui menait chez Miss Simms et en sonnant à la porte.

« Ah, c'est vous, dit Miss Simms. Je sortais, justement.

– Je me demandais si vous aviez l'adresse de Mrs Chatterton à Madrid.

– Sais pas. Je vais regarder. Entrez. Hé, attendez. Pourquoi est-ce que vous ne la réclamez pas à son mari ?

– Il n'est jamais chez lui.

– Alors, glissez-lui simplement un mot sous la porte. »

La poitrine de Mrs Davenport se gonfla d'exaspération.

« Soyez gentille et tâchez de me trouver cette adresse, ma petite. Et sans lambiner.

– Nan.

– Je vous demande pardon ? déclara Mrs Davenport sur le ton d'une actrice outragée.

– J'ai dit que je ne vous la donnerais pas, alors débarrassez le plancher, espèce de vieille vache. Je suis sûre que vous cherchez à semer la zizanie. »

Mrs Davenport, folle de rage, battit en retraite.

Elle est partie pour pourrir la vie de notre Mrs Raisin, se dit Miss Simms. Je ferais mieux de la prévenir.

Mais juste à cet instant on sonna de nouveau. Cette fois, c'était son dernier petit ami en date, un représentant en tissus d'ameublement, et toute la scène avec Mrs Davenport s'effaça comme par magie de sa mémoire.

Harry ouvrit à Agatha et Paul. « Ah, c'est vous, dit-il. Vous avez trouvé quelque chose ?

– Pas encore, mais nous voudrions vous poser une question.

– Entrez. »

Il se retourna pour leur faire face.

« De quoi s'agit-il ?

– Pourquoi avez-vous essayé de vendre la maison de votre mère à une chaîne d'hôtels avant son assassinat ? »

Son visage, qui s'était assombri, s'éclaira de nouveau.

« Oh, c'est bien simple ! Mon affaire battait de l'aile et je voulais savoir si maman consentirait à me renflouer. Elle m'a répondu sans ciller qu'elle avait fait de mauvais placements et qu'elle n'avait pas d'argent disponible. Je lui ai fait remarquer que le cottage était trop vaste pour elle toute seule. Elle pouvait le vendre, s'installer dans une résidence pour personnes âgées et vivre des intérêts du produit de la vente. Maman a déclaré qu'elle n'en tirerait pas un assez bon prix pour lui donner envie de déménager. Je lui ai garanti que je lui prouverais le contraire. J'ai contacté la compagnie

181

hôtelière. Ils ont d'abord été intéressés, avant de s'apercevoir que pour réaliser les aménagements nécessaires, il leur faudrait un permis de construire qu'ils étaient à peu près sûrs de ne pas obtenir. Maman a semblé enchantée de mon échec. Mais de toute façon, elle a toujours adoré me voir échouer, ajouta-t-il avec amertume.

– Pensez-vous qu'elle ait pu se faire des ennemis ?

– Elle devait en avoir des dizaines. Elle n'aimait rien tant qu'empoisonner la vie des autres. Il y a Barry Briar, par exemple.

– Le patron du bistrot ?

– Tout juste. Maman ne buvait jamais une goutte d'alcool et ne tolérait pas qu'on en consomme. Elle cherchait en permanence des moyens de faire fermer le café. Et elle se querellait sans cesse avec les gens du village.

– Et vous ne connaissez aucun passage secret qui donne accès à la maison ?

– Il n'y en a pas. Sinon je l'aurais su.

– Et Peter Frampton ?

– Qui est-ce ?

– Le président de la société historique de Towdey. Il essayait d'acheter la maison.

– Je n'en ai jamais entendu parler. »

Paul et Agatha ne voyaient plus de questions à lui poser. Ils prirent congé en promettant de le prévenir s'ils découvraient le moindre indice quant à l'identité de l'assassin.

« À mes yeux, il demeure le principal suspect, dit Agatha. Nous devrions contacter ce groupe d'acteurs amateurs et vérifier qu'il n'avait vraiment aucune possibilité de faire un saut à Hebberdon cette nuit.

– C'est le souterrain qui me tracasse, dit Paul. La police a dû fouiller la maison de la cave au grenier, même avant le meurtre.

– Avant le meurtre, ils ne l'ont probablement pas prise suffisamment au sérieux pour perquisitionner à fond.

– Mais après ?

– Tout est enseveli sous la poussière dans cette cave. Et Runcom ne m'a pas donné l'impression d'être le plus puissant cerveau d'Angleterre. Qu'importe, s'ils avaient ouvert le coffre, ils n'y auraient vu que de vieux rideaux.

– Vous savez ce que nous devrions faire, Agatha ?

– Quoi donc ?

– Nous devrions y retourner cette nuit avec des gants, revenir très exactement sur nos pas et tout essuyer. Ensuite, nous pourrons aller trouver Bill, lui assurer que nous sommes persuadés qu'une maison aussi ancienne possède presque inévitablement une issue dérobée et demander s'ils ont étudié cette possibilité.

– Et en effaçant nos empreintes, nous pourrions bien anéantir en même temps toute trace du meurtrier.

– N'importe qui projetant un meurtre se serait débrouillé pour ne pas laisser d'empreintes.

– Bon, d'accord. Mais l'idée me déplaît souverainement. »

À minuit ce soir-là, Mrs Davenport, embusquée derrière des buissons, au fond de Lilac Lane, épiait les cottages de Paul et d'Agatha. Elle avait fait le guet à divers intervalles toute la soirée. Sa patience fut récompensée : au moment précis où la cloche de l'église sonnait le dernier coup de minuit, Paul Chatterton sortit de chez lui et alla frapper chez Agatha qui le rejoignit. Il l'embrassa sur la joue. Il était muni d'un sac de voyage. Tous les deux montèrent dans la voiture d'Agatha et démarrèrent.

Mrs Davenport décida qu'il était de son devoir le plus strict d'alerter Juanita Chatterton.

7

Agatha et Paul passèrent la nuit entière et le début de la matinée à dépoussiérer, essuyer et aspirer. Il faisait grand jour lorsqu'ils quittèrent enfin la maison, mais ils étaient bien trop épuisés pour se soucier de savoir si quelqu'un les voyait. L'important était d'avoir effacé toute trace de leur visite.

D'un commun accord, ils décidèrent d'aller se coucher et de se retrouver dans la soirée pour élaborer un moyen de signaler le passage secret à la police.

Juste avant de sombrer dans un sommeil bienfaisant, Agatha songea avec abattement qu'ils n'étaient vraiment qu'une paire de détectives amateurs brouillons, tout juste bons à s'agiter en tous sens au petit bonheur la chance.

Ils en discutèrent le soir dans la cuisine d'Agatha.

« Une lettre anonyme ? suggéra Agatha.

– Peut-être. Mais il doit y avoir une autre possibilité. Je me demande si Peter Frampton connaissait l'existence du souterrain.

– Peut-être. Si quelqu'un était au courant, c'est bien la personne qui a masqué la trappe avec le coffre et y a empilé les rideaux. Ce coffre était très ancien.

– Mais il a bien dû être déplacé à un moment ou un autre. La cave ne peut pas avoir été remplie de vieilleries dès le premier jour.

– Vous savez, proposa Agatha prudemment, nous pourrions nous en remettre à Bill.

– Impossible. Intrusion, destruction d'indices précieux. Il ne pourra absolument pas nous couvrir.

– Eh bien, revenons-en à la lettre anonyme.

– C'est risqué. Ils peuvent prélever votre ADN sur le rabat de l'enveloppe.

– Il existe des enveloppes autocollantes, lui fit observer Agatha. Je sais ! Le commissariat de Moreton est fermé à certaines heures, et certainement, je pense, la nuit. Nous pourrions simplement glisser un papier dans la boîte à lettres. Pas dactylographié. Ils étaient capables d'identifier les machines à écrire, peut-être qu'ils peuvent en faire autant pour les ordinateurs. J'ai un paquet de feuilles tout neuf, d'une marque courante.

– Bon, essayons, soupira Paul. Mais nous ferions mieux d'enfiler des gants. »

Agatha monta dans la salle de bains, sortit une

paire de gants en plastique d'un paquet de teinture inutilisé et descendit rejoindre Paul.

Ils se rendirent dans son bureau, Agatha, gantée, ouvrit la rame de feuilles et en préleva maladroitement une, qu'elle rapporta dans la cuisine en la tenant entre le pouce et l'index. De l'autre main, elle déchira un morceau de papier absorbant, qu'elle étendit sur la table en guise de sous-main.

« Qu'est-ce que j'écris ? demanda-t-elle.

– Faisons au plus simple, répondit Paul. En capitales d'imprimerie. Dites : "Il y a un passage secret à Ivy Cottage. L'entrée est au fond d'un vieux coffre dans la cave." »

Agatha s'efforça de retenir son souffle pendant qu'elle écrivait, hantée par la crainte qu'une seule goutte de salive ne la trahisse aux experts de la police scientifique de Birmingham.

« Là ! dit-elle. Et maintenant, comment la mettre dans la boîte à lettres du poste de police ni vu ni connu ? Juste en face, il y a une résidence pour le troisième âge, et un petit vieux pourrait être à sa fenêtre.

– Pliez-la en quatre, dit Paul. Il nous faudrait un déguisement quelconque.

– Mrs Bloxby a toute une grande boîte de costumes en réserve pour la troupe de théâtre amateur. Drôle de truc. Ils viennent de monter *Le Mikado*. Mais elle se demandera pourquoi nous en avons besoin. Même Mrs Bloxby, je préfère ne pas la mettre au courant.

– Je prétendrai que nous sommes invités à une soirée costumée chez des amis de Londres.

– Si nous portons les costumes du *Mikado*, ça attirera de nouveau l'attention de la police sur Harry, si par hasard ils cherchent ailleurs.

– Mrs Bloxby dispose peut-être d'autres déguisements.

– D'ailleurs, je pense qu'il n'est pas nécessaire de nous travestir tous les deux. Un seul d'entre nous suffira. Restons discrets. »

Sur le coup de deux heures du matin, une Agatha sur les nerfs, affublée d'une perruque d'un roux éclatant et d'une longue robe de matinée à fanfreluches, vestiges d'une représentation de *L'Importance d'être constant*, débouchait de la petite rue proche du terrain de cricket où Paul avait garé la voiture. Un camion passa en grondant près d'elle sur la grand-route, mais le chauffeur regardait droit devant lui. Moreton-in-Marsh paraissait désert. Elle trotta jusqu'au poste de police et glissa sa lettre dans la boîte.

Avec un soupir de soulagement, elle entamait une retraite précipitée lorsqu'une main se referma sur son bras.

« 'Soir, beauté. »

Elle se retourna brusquement. Un ivrogne, pas très grand, mais très aviné, la fixait d'un œil qui ne laissait aucun doute sur ses intentions.

« Un p'tit baiser.

– Lâchez-moi », siffla Agatha.

La lumière des réverbères se reflétait dans ses lunettes, pareilles à deux petites lunes orangées dans l'éclairage au sodium. Il était terriblement fort. Il lui tordit le bras derrière le dos. « Viens là », dit-il d'une voix pâteuse, avec une haleine qui empestait, sembla-t-il à Agatha terrifiée, l'alcool à brûler. Elle pivota brutalement, et lui assena un violent coup de genou entre les jambes. Avec un cri de douleur quasi animal, il la lâcha, puis se mit à hurler. Une fenêtre s'éclaira dans l'immeuble d'en face et Agatha, retroussant ses jupes, s'enfuit en courant.

Paul, debout près de la voiture, surveillait anxieusement la route quand Agatha se précipita vers lui.

« Démarrez ! haleta-t-elle. Filons ! »

Ils bondirent dans la voiture et Paul partit en trombe.

« Que diable... ? commença-t-il.

– Un ivrogne, répondit Agatha amèrement. J'ai bien cru qu'il allait me violer. Je l'ai frappé là où ça fait le plus mal. C'est pour ça qu'il hurlait. Paul, nous accumulons les bévues. Nous devrions faire profil bas.

– Entièrement d'accord, acquiesça Paul. Je suis épuisé. »

Agatha broya du noir toute la journée suivante. Elle savait qu'elle était une excellente communicante. Elle s'était prise pour une excellente détective. Et maintenant, elle se sentait au-dessous de tout. Avec l'aide de Paul, elle avait sans doute anéanti des indices importants. Ils avaient en leur possession un précieux document historique. Elle gémit tout haut. Pourquoi, mais pourquoi donc n'avaient-ils pas remis le journal à sa place, de façon à ce que la police le découvre ?

Dans le cottage voisin, les pensées de Paul suivaient à peu près le même cours – à une différence près. Il rejetait la responsabilité sur Agatha. Tout était de sa faute, c'était elle qui l'avait entraîné dans cet imbroglio délirant. Et si jamais ils avaient laissé derrière eux ne serait-ce que la moitié d'une empreinte digitale ? Il oublia complètement qu'il avait trouvé, peu auparavant, Agatha séduisante. Elle lui apparaissait maintenant comme une femme sur le retour, imbue d'elle-même et peut-être bien folle. Il eut soudain très envie de bavarder avec son orageuse moitié mais, lorsqu'il appela Madrid, sa mère lui dit que Juanita était sortie et qu'elle ne savait pas quand elle rentrerait.

Il venait juste de reposer le combiné quand le téléphone sonna.

« Oui ? répondit-il d'une voix engageante.

– Paul, c'est Agatha. Écoutez, je pensais…

– Je n'ai pas le temps de discuter avec vous en ce moment, interrompit-il sèchement. Au revoir. »

Agatha raccrocha lentement l'appareil et une larme roula sur sa joue. Elle se sentait vieille, stupide et terriblement seule. Elle décida d'aller rendre visite à Mrs Bloxby. Il n'était pas question de lui faire des confidences, bien sûr, mais la compagnie de la femme du pasteur était apaisante et son amitié sans faille.

Mrs Bloxby lui ouvrit la porte du presbytère.

« Agatha ? Entrez, ma chère, et dites-moi ce qui vous a bouleversée à ce point. »

Agatha fondit en un déluge de larmes. Mrs Bloxby la pilota jusqu'au salon, l'installa confortablement au milieu des coussins de plumes du vieux sofa, lui tendit une grande boîte de mouchoirs en papier et lui prit la main. Agatha s'essuya les yeux et se moucha.

« Je suis une parfaite imbécile, hoqueta-t-elle. Mais je ne devrais rien vous raconter.

– Si vous n'en avez pas envie, vous pouvez très bien ne rien me dire, répondit Mrs Bloxby de sa voix chaleureuse. Mais vous savez que je ne répète jamais ce que vous me confiez sans votre autorisation. »

D'une voix entrecoupée, Agatha lui relata la découverte du tunnel et du journal, leur retour dans la maison et le nettoyage minutieux qui avait détruit tous les indices. Elle poursuivit par l'épisode de la note anonyme glissée dans la boîte à lettres du poste de police et de l'agression de l'ivrogne.

« Je vous rendrai le costume, conclut-elle d'un ton lugubre. Voyez-vous, j'étais déguisée. Je portais une perruque rousse et une robe de matinée qui venaient de *L'Importance d'être constant.* »

Mrs Bloxby baissait la tête et ses épaules tressautaient. Elle émit une sorte de hennissement, puis abandonna toute résistance et se laissa aller dans les coussins, en proie à un fou rire inextinguible.

« Mrs Bloxby ! s'insurgea Agatha cramoisie et mortifiée, en faisant mine de se lever.

– Mais non, mais non ! plaida Mrs Bloxby, en la contraignant à se rasseoir. Vous ne voyez donc pas à quel point c'est comique ? »

Agatha sourit avec réticence.

« Pas comique du tout, juste stupide.

– Je vais nous faire du thé. Avec des brioches grillées, reprit Mrs Bloxby, de nouveau maîtresse d'elle-même. Nous nous installerons au jardin, puisque le soleil s'est décidé à se montrer. Allez m'y attendre en fumant une cigarette. »

Agatha, un peu calmée, obéit. Derrière elle, une clématite pourpre cascadait sur les murs dorés par les ans du vieux presbytère et devant elle le jardin s'étendait, tout flamboyant de fleurs à l'ancienne mode : œillets d'Inde et giroflées, delphiniums et lupins, glaïeuls et lys.

Elle sortit son paquet de cigarettes et le fixa d'un œil torve. Cette dépendance au tabac, qui régentait toute son existence, était exaspérante. Elle rangea le paquet.

Mrs Bloxby arriva chargée d'un plateau bien garni.

« Et voilà, annonça-t-elle. Les brioches sont faites maison. Celles des boulangers ne sont jamais assez consistantes à mon goût. Servez-vous de lait et de sucre.

– Il y a autre chose, dit Agatha. C'est Paul. J'ai essayé de lui téléphoner, il m'a répondu qu'il était occupé et m'a raccroché au nez.

– Il se sent probablement aussi bête et terrifié que vous. Mais surtout, n'oubliez pas que c'est un homme.

– Qu'est-ce que ça a à voir ?

– Quand ils ont le sentiment de s'être comportés en crétins finis, les hommes cherchent toujours à rejeter le blâme sur quelqu'un d'autre.

– Mais c'est très injuste !

– Oh, cela lui passera. En attendant, étudions le problème. Le mal est fait. Mais la personne qui a terrorisé et assassiné Mrs Witherspoon, en admettant que ce soit la même, n'aurait certainement pas omis de porter des gants. La police ignorait totalement l'existence du souterrain et ne l'aurait jamais sue si vous ne l'aviez pas découverte. Donc vous avez ajouté, plutôt que soustrait, des éléments à l'enquête.

– Je suppose que oui, marmonna Agatha, la bouche pleine de brioche.

– Alors, dites-moi ce que vous avez découvert d'autre ? »

Agatha expliqua que Carol et Harry les avaient priés de se pencher sur le cas, mais avaient manifesté beaucoup de réticence à les laisser fouiller la maison, et que Harry allait partager son héritage avec Carol.

« Pourquoi ce revirement ? demanda Mrs Bloxby.

– Harry et Carol ont parlé ensemble et se sont aperçus que leur mère les avait montés l'un contre l'autre. Ça paraît crédible.

– Ou c'est la réaction d'un assassin aux abois, prêt à tout pour placer la situation sous un jour favorable.

– Si Paul n'en avait pas par-dessus la tête de moi, je lui aurais proposé de m'accompagner à Mircester ce soir au cas où ces amateurs seraient en train de répéter une pièce quelconque, et de leur poser quelques questions. Harry aurait pu avoir une petite chance de s'éclipser un instant ce soir-là.

– Mais dans ce cas, est-ce que Harry ne sera pas à la répétition, lui aussi ?

– C'est juste…

– Attendez, je crois que j'ai une autre solution. J'ai une amie qui habite Mircester, et je suis sûre qu'elle fait partie de la compagnie d'amateurs. »

Mrs Bloxby rentra dans la maison et Agatha attendit en buvant son thé.

La femme du pasteur revint avec un morceau de papier qu'elle tendit à Agatha.

« Elle s'appelle Mrs Barley. Voilà son adresse. Elle est chez elle. Si vous y faites un saut maintenant, vous pourrez bavarder avec elle.

– Merci mille fois. Faut-il prévenir Paul ?

– Non, laissez-le dans son coin pour le moment. Il reviendra à de meilleurs sentiments. »

Agatha rentra chez elle. Paul jardinait devant sa maison. Elle hésita en passant mais, bien que parfaitement conscient de sa présence, il continua de désherber sans lever les yeux. Elle haussa les épaules et poursuivit son chemin.

Mrs Davenport guettait avidement depuis le bout de l'allée. C'était donc fini entre eux ! Quelle déception ! Elle avait persévéré dans ses efforts pour se procurer l'adresse de Juanita et s'était délectée d'avance à l'idée d'assister au juste châtiment d'Agatha Raisin.

En route pour Mircester, Agatha avait le sentiment d'être libérée d'un fardeau. Elle avait retrouvé son indépendance et c'était fort agréable. L'attirance sexuelle nuisait à ses talents de limier, d'ordinaire si brillants, se persuada-t-elle.

Elle s'arrêta sur une voie de garage avant l'entrée de Mircester, sortit un plan de la ville de la boîte à gants et repéra le quartier où habitait Mrs Barley.

Barley était un joli nom, songea Agatha en pénétrant dans la ville. Elle serait sans doute du genre campagnarde, dodue et avenante, avec des joues comme des pommes d'api et une poitrine généreuse sous un tablier à fleurs.

La confrontation avec la réalité lui infligea un choc. Mrs Barley – « Mais je vous en prie, appelez-moi Robin ! » – était une sexagénaire efflanquée à la chevelure d'un platine aussi coûteux qu'artificiel, sanglée dans un tailleur-pantalon de chez Versace et toute tintinnabulante de bracelets d'or.

« Entrez dans mon petit sanctuaire, roucoula-t-elle. Excusez l'odeur de peinture, je vous prie. »

Agatha se retrouva dans un atelier. Un petit caniche blanc au regard teigneux se précipita en aboyant sur ses chevilles. Agatha refréna une forte envie de s'en débarrasser d'un coup de pied. Des toiles étaient entreposées contre les murs et un tableau à demi terminé sur un chevalet représentait une femme au visage vert et jaune.

« Un autoportrait, minauda Robin Barley en déployant ses longs doigts, dans un geste d'excuse. Bien modeste, mais bien à moi.

– Ça me paraît magnifique », affirma Agatha en toute insincérité. Elle était toujours surprise d'entendre les gens s'esclaffer quand on disait devant eux : « Je ne connais pas grand-chose à la peinture, mais je sais ce que j'aime. » Qu'est-ce que cela pouvait bien avoir de choquant ? Si l'on voulait acquérir un tableau, il était certainement préférable d'en acheter un qui vous plaise. On lui avait affirmé qu'il fallait avoir étudié l'art pour l'apprécier. Pourquoi ? Elle n'était pas étudiante en arts plastiques. James se moquait d'elle, jadis, et la traitait de philistine satisfaite de l'être, mais cela n'éclairait pas davantage sa lanterne. Il l'avait emmenée à une exposition de Matisse et quand elle avait remarqué à haute et intelligible voix qu'elle trouvait hideuse la gamme de coloris de ce peintre, James, rouge comme un coquelicot, l'avait entraînée précipitamment hors de la galerie.

« L'heure de l'apéritif a presque sonné, donc un petit verre ne nous fera pas de mal, dit Robin. Quel est votre poison favori ?

– Gin-tonic, s'il vous plaît.

– Absolument. Idem pour moi. » Robin passa dans une kitchenette attenante au studio, remplit deux verres et revint. « Cul sec », dit-elle.

Agatha se demanda si Robin était capable de parler autrement que par clichés et banalités.

« Alors, vous êtes la grande détective, reprit Robin. Asseyez-vous, je vous en prie. En fait, je n'habite pas ici. Ce n'est que mon atelier. J'ai un petit pied-à-terre au village de Wormstone. À dire vrai, je suis très occupée en ce moment, mais je n'ai jamais rien pu refuser à cette chère Margaret.

– Margaret ?

– Mrs Bloxby, bien sûr. Aussi, pourquoi ne pas vous consacrer quelques instants de mon précieux temps, ai-je pensé. Un malheur ne vient jamais seul, ajouta-t-elle obscurément.

– Et à quelque chose, malheur est bon, répliqua Agatha.

– Et tous les chemins mènent à Rome. »

Elle est folle ou quoi ? se demanda Agatha. Tout haut elle commença :

« C'est à propos de Harry Witherspoon et du *Mikado*. »

Robin repoussa ses cheveux d'or d'une main couverte de bagues.

« Ah oui. Je jouais Katisha.

— La belle-fille d'élection, répondit Agatha, qui connaissait fort bien Gilbert et Sullivan.

— Exactement.

— *Une ruine romantique / Jouit d'un attrait fantastique ; Mais êtes-vous assez délabrée ?* cita Agatha.

— En fait, j'ai fait ressortir le côté femme fatale du rôle, confia Robin avec un rire modeste. J'ai toujours pensé que c'était une erreur de faire de Katisha un épouvantail. Mais pour en revenir à votre petit problème, Harry n'était qu'un membre du chœur. Je ne vois pas comment il aurait eu le loisir de s'absenter.

— L'auriez-vous remarqué ?

— Ah ! là, vous faites mouche. Ce petit bonhomme est tellement insignifiant. Non, je n'y aurais pas pris garde. Mais la pièce a duré de vingt heures à vingt et une heures trente. Puis nous sommes tous allés nous démaquiller dans nos loges et nous préparer pour la menue sauterie qui avait lieu sur la scène du théâtre. Elle s'est achevée peu après minuit. Harry aurait facilement pu s'éclipser.

— La police a l'air assez sûre qu'il ne l'a pas fait, ou plutôt, c'est l'impression qu'ils m'ont donnée.

— Ma pauvre. Ce doit être terrible pour vous de patauger de cette manière sans avoir les moyens de la police.

– Oui, tâcher d'arracher des informations à des gens comme vous peut s'avérer horripilant.

– Allons, allons, fit Robin. Ce n'est pas beau de se disputer. L'union fait la force.

– Merci pour le gin, coupa Agatha en ramassant son sac. Je ferais mieux d'y aller.

– Rasseyez-vous, s'il vous plaît. Je pourrais vous être de quelque secours.

– Comment ? demanda Agatha en se dirigeant vers la porte.

– Je peux me renseigner discrètement. Harry faisait partie du chœur, et c'est un groupe très soudé. Ils partagent tous la même loge, les hommes s'entend. S'il avait déserté son poste, l'un d'entre eux l'aurait peut-être remarqué. »

Agatha pêcha une carte dans son sac.

« Passez-moi un coup de fil, si vous découvrez quelque chose », recommanda-t-elle.

« Et si jamais vous y arrivez, marmonna-t-elle en montant dans sa voiture, ce sera vraiment un sacré miracle. »

Elle s'offrit un déjeuner convenable à Mircester et fit la tournée des magasins avant de rentrer chez elle.

Sa bonne humeur retomba quand elle tourna dans Lilac Lane et reconnut la voiture de Bill Wong. Elle se gara et descendit. Ce ne fut qu'un mince soulagement de constater que Bill était seul.

« J'ai à vous parler, dit-il. Et demandez à votre ami de venir. »

Agatha n'avait pas du tout envie d'avouer que Paul la battait froid.

« Entrez, je vais lui téléphoner, acquiesça-t-elle, en le conduisant à la cuisine. Mettez la cafetière en route, s'il vous plaît, Bill, j'en ai pour une minute.

– Vous ne pouvez pas utiliser le poste de la cuisine ?

– Ah ! oui, dit Agatha, décontenancée. Bien sûr. »

Elle décrocha le combiné et le reposa immédiatement.

« Je sais pourquoi je voulais téléphoner du salon. J'y ai laissé mon carnet d'adresses et j'ai oublié son numéro.

– Je l'ai », répliqua Bill.

Il le lui tendit et Agatha, très mal à l'aise, reprit le combiné. Pourvu que Paul soit sorti ! Si jamais il craquait et avouait leur intrusion à Ivy Cottage ? Elle était certaine que Bill avait été mis au courant de la note anonyme et les soupçonnait.

Mais Paul répondit à la première sonnerie.

« C'est Agatha, annonça-t-elle d'un ton allègre. Bill Wong est là et il voudrait nous parler à tous les deux.

– À quel sujet ? s'enquit Paul d'un ton acerbe.

– Sais pas. Dépêchez-vous.

– Mais... »

Agatha reposa sans douceur le récepteur.

« Je croyais que c'était seulement dans les films qu'on raccrochait sans dire au revoir, commenta Bill.

– Je n'ai pas dit au revoir ? demanda Agatha avec un rire affecté digne de Robin Barley. Bon, qu'est-ce qui vous amène ? »

La sonnette retentit et Agatha se leva, les yeux fixés sur Bill.

« Ce doit être Paul », dit Bill.

Elle alla ouvrir la porte, contrariée que Bill lui emboîte le pas. Elle avait espéré glisser à la hâte à Paul quelques mots d'avertissement.

Ils s'assirent tous les trois autour de la table de la cuisine, Agatha et Paul d'un côté et Bill en face d'eux. Ils avaient automatiquement adopté la même disposition que lors d'un interrogatoire de police.

« Quelque chose de très intrigant vient de se produire, commença Bill.

– Quelqu'un veut du café ? proposa aimablement Agatha.

– Tout à l'heure, répondit Bill, tandis que Paul, les mains jointes, étudiait avec application la surface de la table.

– La police, poursuivit Bill, a reçu une lettre anonyme. Elle a été déposée dans la boîte du commissariat de Moreton. Elle signale l'existence d'un souterrain, dont l'entrée se trouve sous un coffre de Ivy Cottage.

– Bonté divine ! Alors il y a bien un passage secret ! s'exclama Agatha.

– Exactement comme vous le suggériez.

– Eh bien, ce doit être par là que s'est introduit l'assassin. Je sers le café ?

– Vous n'avez pas l'air de vous interroger sur les raisons de ma présence, remarqua Bill.

– Parce que nous avions eu l'intuition de ce passage, évidemment, répliqua Agatha, tout en souhaitant que Paul se décide à lever le nez et à prononcer quelques mots, n'importe quoi – tout, sauf la vérité.

– Je suis là pour vous demander à tous les deux si vous n'avez rien à voir avec tout ça.

– Comment ça, Bill ? Est-ce que vous nous accusez de l'avoir creusé, ce souterrain ?

– Je pense que vous savez très bien pourquoi je suis là. Harry Witherspoon a déjà été questionné. Il affirme qu'enfants, on leur a toujours interdit de descendre à la cave. Il dit que vous avez sollicité la permission de fouiller la maison, mais qu'il a refusé. Vous n'avez pas forcé l'entrée par hasard ?

– Non, dit Agatha avec fermeté. Quelqu'un a donc forcé l'entrée de la maison ?

– Celui ou ceux qui l'ont fait avaient une clef. Aucun signe d'effraction.

– Eh bien, voilà la réponse ! commenta Agatha. Ça ne peut donc être que Harry ou Carol.

– Et de plus, continua Bill, une des habitantes de l'immeuble voisin du supermarché a entendu des cris pendant la nuit. En regardant par la fenêtre, elle a vu une femme aux prises avec un homme. La femme a frappé l'homme, qui semblait en état d'ébriété, et s'est enfuie en courant. Quand on lui a demandé de décrire la femme, notre témoin a mentionné un détail extrêmement bizarre. À ses dires, la personne qui essayait d'échapper à l'ivrogne portait un vêtement qui ressemblait à une robe de matinée d'autrefois. Elle dit qu'elle a une photographie de sa grand-mère dans une tenue presque identique. Elle n'a pas pu nous indiquer la teinte des cheveux de la femme parce que la lumière de ces réverbères au sodium déforme toutes les couleurs. Malgré tout, on pourrait bien penser que quelqu'un comme vous, Agatha, s'est procuré un costume de théâtre et s'en est affublée pour aller déposer la lettre.

— Mais enfin, Bill ! Si nous avions découvert un passage secret, nous vous l'aurions dit.

— À moins que vous ne l'ayez fait en pénétrant dans la maison sans autorisation. »

Paul leva les yeux et desserra les lèvres pour la première fois :

« Est-ce un interrogatoire officiel ?

— Non, c'est une visite amicale. Si par le plus grand des hasards vous avez trouvé ce passage et détruit des indices, alors vous seriez dans de très sales draps.

— Dans ce cas, répondit Paul d'une voix tranquille, c'est aussi bien que nous nous soyons abstenus. Pas de café pour moi, Agatha, ajouta-t-il en lui dédiant tout à coup un sourire : Du thé, s'il vous plaît. »

De soulagement, Agatha sentit tout son corps se détendre. Elle se leva pour aller préparer thé et café.

« Parlez-nous du souterrain, dit Paul. Est-il long ? Très ancien ? Où débouche-t-il ?

– Officiellement, je ne suis pas sur cette enquête, répondit Bill, mais j'ai entendu dire qu'il commence bel et bien au fond d'un vieux coffre, par quelques marches qui ont été réparées, puis se poursuit sous la maison et le jardin, pour aboutir à une trappe au milieu des buissons. Le témoin de la lutte près du commissariat a tout de suite alerté la police. L'agent de service s'est rendu sur les lieux et a trouvé la lettre anonyme. Toute une équipe d'experts a travaillé des heures sur place. Le passage et le contenu de la cave ont été parfaitement nettoyés. On a employé un aspirateur. Les enquêteurs ont perquisitionné chez Harry et chez Carol et emporté leurs appareils. »

Paul pensa à celui de sa voiture, qu'il avait utilisé et qui était maintenant rangé dans un placard chez lui. Il ne l'avait même pas vidé. Agatha, elle, songea à la robe de matinée et à la perruque en haut dans sa chambre. Elle plaça une tasse de café devant Bill, heureuse de voir que sa main ne tremblait pas, puis tendit son thé à Paul.

« Je suppose que cet odieux Runcom va être le prochain visiteur.

– C'est possible. Comme je vous l'ai dit, je ne suis pas sur cette affaire. Donc, celui qui a essayé de terrifier Mrs Witherspoon et qui l'a assassinée ensuite a dû entrer dans la maison par cette issue dérobée.

– S'il s'agit bien d'un seul et même individu », dit Agatha.

Bill la contempla en fronçant les sourcils. Il avait pu constater par le passé qu'au moment même où Agatha semblait justement brasser du vent de la manière la plus exaspérante, elle faisait souvent preuve, paradoxalement, d'une intuition fulgurante.

« Je ne sais pas », articula Agatha lentement.

Elle se servit une tasse de café, alluma une cigarette et se rassit.

« Le meurtre en lui-même me paraît très ingénieux. Si Mrs Witherspoon n'avait pas été si vigoureuse et si solide, il aurait parfaitement pu passer pour un accident. Quand il s'agit d'une personne très âgée, on ne pense pas à s'interroger beaucoup sur les causes du décès. Si le docteur avait signé le certificat, l'assassin aurait été tranquille. Et cette histoire de fantôme me semble avoir quelque chose de... comment dire ? d'étrangement puéril. Au fait, la police a certainement fouillé soigneusement la maison. Pourquoi n'ont-ils pas cherché d'issue dérobée ?

– Parce que ça ne leur est pas venu à l'esprit. Runcom est toujours persuadé que c'est Harry le coupable, donc il n'a même pas envisagé d'autres pistes. »

Bill termina son café et se leva.

« Faites attention, vous deux. J'espère vraiment que vous n'avez pas trempé dans cette histoire.

– Bien sûr que non ! » affirma Agatha en le reconduisant. Pour revenir précipitamment dans la cuisine. « La robe et la perruque ! Il faut que j'aille les rendre à Mrs Bloxby.

– Et l'aspirateur ! Je vais le jeter. Il va falloir laver tous les vêtements que nous portions la nuit dernière. Écoutez, Agatha, je regrette d'avoir été si grossier. J'étais encore atterré que nous ayons pu nous comporter si stupidement.

– Pour la peine, vous m'inviterez à dîner en ville. Dans l'immédiat, débarrassons-nous des preuves. »

En fin d'après-midi, Agatha fit le point : la perruque et la robe de matinée avaient réintégré le presbytère, les vêtements qu'elle portait lors du grand nettoyage de la cave étaient tous propres et secs, les chaussures lavées et astiquées à fond. Elle pouvait enfin respirer, pensa-t-elle. Juste à ce moment, le téléphone sonna. C'était Paul.

« Runcom est là, dit-il à voix basse. Il veut vous voir. »

Avec l'impression d'avoir des semelles de plomb,

Agatha se dirigea vers le cottage de Paul. L'inspecteur Runcom et le sergent Evans l'attendaient dans le salon. Paul se faisait discret derrière son bureau.

« Parfait, Mrs Raisin. Asseyez-vous », ordonna Runcom.

Agatha se saisit d'une chaise bien dure et la plaça près de Paul, puis s'assit.

« Où étiez-vous tous les deux la nuit dernière entre deux et trois heures du matin ?

– Au lit, répondirent Paul et Agatha en chœur.

– Des témoins ?

– Non, répliqua Agatha d'une voix glaciale.

– Je m'intéresse tout particulièrement à vos faits et gestes, Mrs Raisin, appuya Runcom en la fixant d'un œil de basilic. Quelqu'un a déposé un mot dans la boîte à lettres du commissariat de Moreton. Il affirme qu'il existait un passage secret à Ivy Cottage.

– Et il y en a un ? » demanda Paul. Agatha éprouva un certain soulagement.

« Oui, il y en a un, et tout a été méticuleusement nettoyé. On a même utilisé un aspirateur. Nous pouvons obtenir un mandat de perquisition au besoin, mais je voudrais inspecter les aspirateurs de vos deux maisons.

– Pas de problème, acquiesça promptement Agatha, qui n'avait pas du tout envie de les voir revenir avec un mandat pour fouiller son cottage – ils pourraient mettre la main sur quelque chose de compromettant, une mèche de cheveux artificiels, par exemple.

– Mr Chatterton ? »

Paul haussa les épaules.

« Je n'y vois pas d'inconvénients. »

Il se leva et alla sortir un aspirateur-balai d'un placard sous l'escalier. Le sergent Evans rédigea un reçu.

« Je vais chercher le mien, dit Agatha.

– Si vous en avez un pour la voiture, apportez-le aussi, ordonna Runcom.

– Je n'en ai pas », lança-t-elle par-dessus son épaule.

Elle ne tarda pas, inquiète de savoir Paul seul avec eux. Elle sentait que leur apparente bonne volonté ne faisait pas l'affaire de Runcom. Poussée par la curiosité, elle ne put se retenir de demander :

« Qu'est-ce qui vous fait penser que nous pourrions être mêlés à tout ça ? Pourquoi diable aurions-nous voulu assassiner Mrs Witherspoon ?

– D'après une vieille légende, une fortune aurait été cachée dans cette maison. Après la mort de Mrs Witherspoon, elle est restée inoccupée et des cinglés pourraient avoir décidé d'aller à la chasse au trésor.

– Tandis que l'interprétation intelligente serait que le meurtrier est retourné sur les lieux du crime pour s'assurer qu'il ne subsistait aucune trace de lui, dit Paul.

– Et a déposé une note au commissariat ?

– Ça pourrait être quelqu'un d'autre. Quelqu'un qui connaît l'assassin.

– Ah, j'oubliais… Selon un témoin, la femme qui a laissé le mot, ou plutôt une bonne femme qui se battait avec un ivrogne, portait une robe de matinée d'avant guerre. Possédez-vous un vêtement de ce genre, Mrs Raisin ?

– Je ne suis pas vieille à ce point.

– Mais vous consentiriez à ce que le sergent Evans jette un coup d'œil à votre garde-robe ?

– Tout de suite s'il veut. »

Une fois Agatha sortie, Runcom se pencha en avant et dit, du ton d'une conversation d'homme à homme.

« Bon, écoutez, Mr Chatterton, nous avons affaire, vous et moi, à une femme qui a déjà fourré son nez dans des enquêtes policières par le passé. Ça irait mal pour vous si on s'apercevait que vous êtes impliqué dans tout ça. Je ne serais pas mécontent d'avoir une excuse pour la mettre à l'ombre un moment, histoire de la neutraliser. Vous pouvez me parler en confiance : qu'est-ce qu'elle a manigancé ?

– Mrs Raisin est une voisine et une amie, répondit Paul. C'est moi seul qui ai eu l'idée d'enquêter sur le fantôme de Mrs Witherspoon. Après l'enterrement, Mr Harry Witherspoon et sa sœur Carol ont sollicité notre aide pour démasquer l'assassin.

– J'espère que vous n'avez pas accepté, gronda Runcom en se rembrunissant.

– Nous avons promis de faire ce que nous pourrions. Aucun de nos agissements ne peut interférer avec vos investigations. Si jamais nous faisons une découverte d'importance, nous vous en ferons part immédiatement. »

Avec une certaine nervosité, Paul lorgna à la dérobée sa bibliothèque où le journal figurait bien en vue, tranchant sur les couvertures glacées des livres d'informatique encore tout neufs.

« Sérieusement, je vous conseille de ne rien faire du tout », lui lança Runcom.

Ils attendirent en silence le retour d'Agatha et d'Evans.

« Je n'ai rien trouvé, rapporta le sergent.

– Ça ira... pour cette fois », fit Runcom en se levant.

« Ouf, soupira Agatha après leur départ. C'était limite...

– Quelque chose m'intrigue, dit Paul.

– Quoi ?

– Toute cette poussière, à la cave. On aurait dit que rien n'y avait été déplacé depuis des années. Je pense que Runcom a du souci à se faire. À mon avis, les policiers se sont contentés de jeter un coup d'œil, sans faire de fouilles en règle.

– Probablement. Mais comment l'assassin a-t-il fait pour ne pas laisser la moindre trace ?

– Vous savez, Agatha, nous devrions avoir une petite conversation avec Harry et Carol demain. Je ne peux croire que deux personnes, même tyrannisées, aient pu grandir dans cette maison sans jamais explorer la cave.

– Mais est-ce que deux enfants auraient pu trouver le faux fond et la trappe ?

– Peut-être pas. Et je viens de me rappeler quelque chose – la trappe qui s'ouvre dans le jardin. Elle était assez récente. Comme si quelqu'un était tombé par hasard sur cette issue et avait décidé que c'était un accès utile au cottage.

– Nous oublions Peter Frampton, remarqua Agatha. C'est l'historien local. Il pourrait avoir appris l'existence du souterrain, et avoir su où le chercher. Souvenez-vous, il avait des vues sur la maison. Nous devrions essayer de nous renseigner davantage sur lui.

– Très juste. Commençons par aller dîner, et ensuite nous nous attaquerons à Harry et Carol. »

Ce soir-là, dans sa loge, Robin Barley, assise devant son miroir après la répétition générale de *Macbeth*, où elle incarnait lady Macbeth, dorlotait son ego meurtri. Elle avait passé une journée fort excitante à jouer les détectives et à téléphoner tous azimuts pour vérifier si Harry avait pu s'absenter discrètement. Et la réponse était oui ! Allait-elle appeler cette dinde de Raisin ? Non, elle allait poursuivre ses investigations puis informer la police, non sans avoir auparavant veillé à ce que le *Mircester Chronicle* rende justice comme il se devait à ses talents de limier. Puis les avanies de la répétition générale lui revinrent en mémoire et elle s'assombrit. Ce nouveau metteur en scène était un malappris et un ivrogne. Pourquoi diable celui qui les dirigeait habituellement avait-il jugé bon d'attraper un zona ? Et pourquoi fallait-il qu'ils se retrouvent avec ce sous-produit du festival de Stratford, qui s'était avisé de situer toute la pièce en Bosnie et d'affubler les Écossais de masques à gaz ? Il avait eu le front de lui déclarer, devant toute la troupe, qu'elle jouait lady Macbeth comme une châtelaine inaugurant une vente de charité.

La porte de la loge s'entrouvrit et un masque à gaz se profila dans l'entrebâillement. Robin se retourna, le sourcil froncé. Elle ne frayait guère avec les fantassins de la troupe.

Mais celui-ci se faufila à l'intérieur, muni d'une superbe gerbe de roses.

« Presque aussi belles que vous, prononça-t-il d'une voix étouffée par le masque.

– Vous êtes un amour ! s'exclama Robin, radieuse. Quelles fleurs magnifiques !

– J'aperçois un vase là. Je vais juste les y mettre.

– Vous ne m'avez pas dit votre nom, fit remarquer Robin.

– Je préfère continuer à vous admirer en secret, répliqua-t-il en remplissant le vase d'eau et y disposant les roses. Au revoir, mignonne. » Après une courbette emphatique, il fit volte-face, puis disparut dans une pirouette.

Miraculeusement rassérénée, Robin s'approcha du bouquet pour en respirer le parfum. Elle recula en vacillant, suffocante, les bras et les jambes soudain étonnamment pesants. Elle voulut crier, mais la sensation d'asphyxie s'accrut. Elle s'effondra sur le plancher et vomit. Elle se mit à ramper vers la porte, puis les ténèbres se refermèrent sur elle.

8

Ce fut en sifflotant gaiement qu'Agatha se prépara son petit déjeuner – café, pain grillé et mar-
melade d'oranges – le lendemain matin. Le soleil
entrait à flots par la porte grande ouverte de la
cuisine. Le dîner de la veille avec Paul avait été
charmant. Ils étaient à nouveau à l'aise l'un avec
l'autre. Ils avaient même plaisanté de leurs bévues
d'amateurs. Elle lui avait raconté sa visite à Robin
Barley et avait bien fait rire Paul avec ses imita-
tions.

Il était convenu qu'il passerait la prendre cet
après-midi pour aller à Towdey et tâcher d'en
apprendre davantage sur Peter Frampton.

Toutes ses pensées viraient de nouveau au rose.
Le petit déjeuner fini, elle monta dans sa salle de
bains se faire un rinçage châtain pour adoucir l'effet des racines carotte, faute d'avoir pu se rendre
chez le coiffeur. Puis, enturbannée d'une serviette,
elle descendit profiter du soleil au jardin.

Une sonnerie frénétique suivie d'un martèlement

à la porte la fit bondir sur ses pieds. Elle traversa la maison au pas de course pour aller ouvrir. C'était Paul.

« Agatha, Agatha, vous m'avez bien dit que vous aviez été voir quelqu'un qui s'appelait Robin Barley ?

– Oui, entrez. Qu'est-ce qui se passe ?

– Je viens de l'entendre à la radio, en revenant de Moreton : ils ont annoncé qu'on l'avait trouvée morte dans sa loge.

– Elle a peut-être eu une crise cardiaque, suggéra Agatha sur le seuil de la cuisine.

– Aux nouvelles, ils disaient que la police considérait cette mort comme suspecte. »

Agatha se laissa tomber sur une chaise et lui adressa un regard de consternation.

« Tôt ou tard, la police va interroger ses voisins, à l'atelier, et ils lui donneront mon signalement. Mais si elle a été assassinée dans sa loge, cela incrimine à nouveau Harry. Oh, grands dieux, tout est de ma faute. Elle avait tellement envie de jouer au détective.

– Vous l'y avez encouragée ?

– Pas précisément. En fait, j'ai été ravie de la planter là, tant je l'ai trouvée imbuvable.

– Donc, vous n'y êtes pour rien. Inutile de chercher à voir Harry ou Carol aujourd'hui, et il est préférable de ne pas contacter Peter Frampton avant d'en savoir un peu plus. Harry est certainement mêlé à tout cela.

– Mais si ce n'est pas Harry, et s'il a un alibi, alors ce meurtre peut très bien être complètement indépendant de celui de Mrs Witherspoon.

– Nous devrions peut-être essayer de voir Bill Wong.

– À mon avis, tous leurs inspecteurs doivent déjà être sur le coup, et sous la pression des médias. C'est une affaire bien plus exotique qu'un banal assassinat de vieille dame. »

La sonnette retentit de nouveau. Ils se regardèrent, atterrés.

« La police, je présume », dit Agatha lugubrement.

Mais quand elle ouvrit la porte, ce fut une Mrs Bloxby tout éplorée qu'elle trouva sur le seuil. « Entrez, la convia Agatha. Nous venons juste d'apprendre la nouvelle.

– Je ne peux pas y croire, soupira Mrs Bloxby. Je connaissais Mrs Barley depuis longtemps. Vous avez été la voir ?

– Oui, je lui ai expliqué que nous tentions d'établir si Harry avait pu avoir une chance de s'éclipser et d'aller jusqu'à Hebberdon. Je sais que c'était une de vos amies, mais elle était... un peu spéciale.

– Certes, cette pauvre Robin se donnait parfois de grands airs, répondit la femme du pasteur, mais elle avait un cœur d'or. Elle faisait beaucoup pour nos œuvres. J'ai téléphoné au recteur de Saint-Ethelburgh à Wormstone, le village où elle habitait. Il avait rendez-vous avec elle dans sa loge

217

après la répétition générale. Elle devait monter une pièce pour leur église. C'est lui qui l'a trouvée. Elle gisait, a-t-il raconté, près de la porte, la figure d'une couleur épouvantable et elle avait vomi. Il a appelé une ambulance, la police et les pompiers, tous en bloc, il était dans un tel état ! La police a été la première sur les lieux. On l'a fait patienter à l'extérieur, puis on l'a conduit au commissariat, où on lui a ordonné d'attendre. Deux inspecteurs ont fini par venir l'interroger, ce qui fut, m'a-t-il confié, extrêmement éprouvant. Ils ne cessaient de lui demander s'il lui avait apporté des fleurs et il a dû répéter je ne sais combien de fois que non. Il avait rendez-vous avec elle, il a frappé à la porte, elle n'a pas répondu, il a ouvert et il l'a trouvée. On lui a révélé, tout à la fin de l'entretien, que la pauvre Mrs Barley avait succombé à un empoisonnement au cyanure : la police suppose que des boulettes de cyanure d'hydrogène ont été glissées dans l'eau du vase de roses, ce qui a produit un dégagement de gaz toxique, et l'a tuée.

— Mais comment diable de nos jours, dans nos paisibles Cotswolds, quelqu'un aurait-il pu mettre la main sur du cyanure ? s'étonna Agatha.

— Les fermiers en utilisaient couramment autrefois, répondit Paul. C'est interdit désormais, comme le DDT. Mais je suppose qu'il en traîne encore par-ci, par-là.

— Et maintenant, qu'est-ce qu'on fait ?

— À mon avis, on attend.

– Si seulement nous disposions des ressources de la police ! se lamenta Agatha. Nous ne pouvons pas accéder aux relevés téléphoniques pour voir qui elle a appelé.

– Il y a des agences de détectives qui peuvent vous fournir les relevés trimestriels de n'importe quel particulier, intervint Mrs Bloxby, à leur grande surprise. Ça coûte quatre cents livres, plus la TVA.

– Ben ça alors ! Comment se fait-il que vous soyez si bien renseignée ? s'étonna Agatha.

– C'est confidentiel, vous savez, expliqua Mrs Bloxby en rougissant légèrement. Un de nos paroissiens était fou amoureux, et il voulait vérifier que la dame de ses pensées ne téléphonait pas à un ancien amant malgré toutes ses dénégations.

– Et elle lui téléphonait ? demanda Agatha, fascinée.

– Oh que oui !

– Et ça l'a guéri de son obsession, lui ?

– Non, ça n'a fait qu'empirer. Pour finir, il a émigré en Australie. Quel gaspillage d'argent ! »

Agatha se creusa la cervelle pour retrouver quel paroissien s'était exilé en Australie. Mrs Bloxby esquissa un sourire.

« C'était avant votre arrivée, Mrs Raisin.

– Vous savez, dit Agatha, je crois que je devrais appeler Bill et lui parler de ma visite à Robin. Ils l'apprendront fatalement à un moment ou à un autre.

– Runcom va vous massacrer, fit remarquer Paul.

– Un peu moins si je donne volontairement l'information », dit-elle en passant dans l'autre pièce pour téléphoner.

Elle revint un instant plus tard.

« J'ai eu Bill. Il est enfin sur l'enquête. Il faut que j'aille au commissariat immédiatement. »

Paul y conduisit Agatha. On les pria d'attendre, avant d'emmener Agatha dans un bureau, où elle resta presque un quart d'heure à contempler la table couverte d'entailles, les murs d'un vert jaunâtre et les carreaux en verre dépoli de la petite fenêtre. La porte s'ouvrit enfin, livrant passage à Bill, suivi d'Evans.

Conformément au rituel, Bill mit en marche le magnétophone avant de s'asseoir près d'Evans face à Agatha.

« Bien, Mrs Raisin, entama-t-il d'un ton très officiel, vous m'avez téléphoné pour me prévenir que vous aviez rencontré la défunte Mrs Robin Barley hier.

– C'est exact.

– À quelle heure ?

– Je pense que c'était avant l'heure du déjeuner. Je ne sais pas au juste. Disons environ midi.

– Vous connaissiez déjà Mrs Barley ?

– Non.

– Comment se fait-il que vous ayez été la voir ?

– Je me demandais si Harry Witherspoon avait pu quitter le théâtre et faire un saut à Hebberdon la nuit de l'assassinat de sa mère. Mrs Bloxby...

– C'est la femme du pasteur de Saint-Pierre-et-Saint-Paul à Carsely.

– Vous le savez bien, Bill.

– C'est pour l'enregistrement, intervint Evans sèchement.

– Oui, bon, enfin, je souhaitais contacter quelqu'un qui jouait dans *Le Mikado*, la pièce qu'ils avaient montée. Mrs Bloxby m'a dit que son amie, Mrs Robin Barley, pourrait peut-être m'aider. Elle lui a téléphoné et m'a communiqué son adresse. Je me suis rendue à son atelier.

– Et vous a-t-elle donné des informations ?

– Non. Elle n'a pas inventé l'eau chaude, si vous voulez mon avis. Elle a dit qu'elle appellerait d'autres membres de leur troupe pour vérifier si Harry aurait pu s'éclipser un moment. J'en avais assez, elle s'était montrée assez grossière. Je n'y suis restée que très peu de temps. Je lui ai laissé ma carte en la priant de me prévenir si elle découvrait quelque chose et je suis partie.

– Et après ? demanda Evans.

– Je me suis offert à déjeuner chez Pam's Kitchen dans la grand-rue. Puis j'ai fait les magasins. Je suis retournée chez moi, où vous êtes venu m'interroger avec l'autre inspecteur. Après votre départ, Paul, Mr Chatterton, et moi sommes allés dîner.

– Où ?

– Le Churchill à Paxford.

– Et cela a pris combien de temps ?

– Laissez-moi réfléchir. Nous avons retenu la table pour vingt heures. Nous ne sommes pas repartis avant vingt-deux heures trente. Nous sommes revenus chez moi prendre un dernier verre et Paul est rentré chez lui vers minuit.

– Il faut absolument que vous cessiez de vous mêler de l'enquête, Mrs Raisin, assena Evans. Vous ne quitterez pas le pays. Vous vous tiendrez prête à répondre à d'autres questions.

– Bien. Ce sera tout pour le moment, conclut Bill.

– Bill… ? » commença Agatha.

Il fit un bref signe de tête et Evans escorta Agatha jusqu'à l'entrée.

« Alors, comment ça s'est passé ? demanda Paul tandis qu'ils s'éloignaient du commissariat.

– Moins terrible que je ne le craignais, parce que c'est Bill lui-même qui m'a interrogée. Mais, oh ! Paul, il avait l'air si sévère et si désapprobateur.

– Ce doit parfois être assez problématique pour un policier d'avoir une amie de votre espèce.

– J'espère qu'il n'est pas trop fâché, s'alarma Agatha. C'est le tout premier ami que je me sois fait, je veux dire, depuis mon installation ici, ajouta-t-elle précipitamment, peu désireuse que

Paul sache que l'ombrageuse Agatha Raisin n'avait jamais eu d'amis auparavant.

– Il se radoucira si nous pouvons contribuer à résoudre ce cas.

– Comme si on avait la moindre chance... »

La sonnerie de son téléphone portable l'interrompit. Elle réussit à l'extraire de son sac, écouta avec la plus grande attention puis répondit avec excitation :

« Gardez-le avec vous. Nous arrivons aussi vite que possible ! » puis, coupant la communication, elle se tourna vers Paul : « C'était Mrs Bloxby. Le recteur est chez elle, celui qui a trouvé le corps. »

D'un même élan, ils se précipitèrent vers la voiture.

Mrs Bloxby les guida à travers le presbytère jusqu'au jardin, où un monsieur à cheveux blancs, d'allure ascétique, buvait une tasse de thé.

« Mrs Raisin, puis-je vous présenter Mr Potter, le recteur de Saint-Ethelburgh ? Mr Potter, voici Mrs Raisin et Mr Chatterton. »

Tout le monde s'assit. Agatha examinait le recteur. Il avait un visage maigre et sympathique, des yeux pleins de douceur, les épaules voûtées et les doigts déformés par l'arthrose.

« J'ai accepté de vous rencontrer, commença-t-il, d'une belle voix riche de toutes les anciennes intonations oxfordiennes malheureusement si rares de nos jours. En temps normal, j'aurais plutôt repoussé toute idée d'association avec des détectives amateurs, mais ce Runcom m'a vraiment déplu. Il est brutal et stupide. Mrs Bloxby, au contraire, ne tarit pas d'éloges sur vos dons de limier.

– Racontez-nous ce qui s'est passé, le pressa Agatha.

– Je ne devrais pas médire des morts, mais je trouvais vraiment Mrs Barley assez épuisante et excessivement autoritaire. Mais, comme Mrs Bloxby en conviendra sûrement, quand il s'agissait de récolter des fonds pour l'Église, elle n'avait pas son pareil. Elle devait monter une pièce dans la grande salle de l'église de Wormstone. Naturellement, elle était censée tenir le premier rôle, précisa-t-il avec un léger sourire.

– Quelle œuvre aviez-vous choisie ? demanda Agatha, saisie d'un brusque pressentiment.

– *L'Importance d'être constant.*

– En costumes des années 20 ?

– Bien sûr. »

Agatha lança un coup d'œil accablé à Paul. Donc ils n'avaient fait que brouiller davantage les pistes. La police allait déduire que la femme en robe d'avant guerre était Robin.

« En tout cas, poursuivit le recteur, j'avais accepté d'aller la voir dans sa loge. Il n'y avait pas la moindre raison de ne pas nous voir le lendemain matin, mais Mrs Barley aimait recevoir des visiteurs dans sa loge. Ainsi que je l'ai raconté à

Mrs Bloxby, j'ai frappé à sa porte et comme elle ne répondait pas, je suis entré. »

Il continua en leur peignant le même tableau qu'à Mrs Bloxby un peu plus tôt.

« La police évoque un empoisonnement au cyanure. Quelqu'un lui a apporté un bouquet de fleurs et les a placées dans un vase avec de l'eau, où il a glissé les boulettes de cyanure d'hydrogène.

— Je me demande s'il y a un lien entre sa mort et celle de Mrs Witherspoon, dit Agatha.

— Pourquoi pas ? fit Paul.

— Imaginez que Harry ne soit pas le coupable. Dans ce cas, quel mobile quelqu'un pourrait-il avoir de tuer Robin ? Avait-elle des ennemis, Mr Potter ?

— Pas à ma connaissance. Mais des comédiens amateurs peuvent allier le plus parfait amateurisme et une susceptibilité de professionnel. Il y a autant de querelles et de jalousie entre eux que dans une véritable compagnie théâtrale. Voyez-vous, la pauvre Mrs Barley jouait atrocement mal.

— Juste Ciel ! Mais alors, pourquoi lui donner le rôle principal dans *Macbeth* ?

— Elle était très riche. C'était elle qui finançait la compagnie pour l'essentiel. En retour, elle s'arrogeait les premiers rôles. Je me souviens d'un terrible esclandre pendant qu'ils répétaient une mise en scène d'*Oklahoma* pour Noël. Comme d'habitude, Mrs Barley avait insisté pour incarner la jeune première.

– La jeune fille dans le cabriolet à franges ?

– Exactement. Les membres féminins de la troupe se sont rebellés. Elles lui ont dit qu'elle était trop vieille pour le rôle et chantait abominablement faux. Elle n'a capitulé que lorsqu'une d'entre elles lui a passé un enregistrement. Mrs Barley elle-même a dû reconnaître que c'était affreux.

– Qui a pris la tête de la révolte ? demanda Agatha.

– Une certaine Miss Emery. Miss Maisie Emery. Elle a eu le rôle et elle était excellente d'ailleurs.

– Mais Robin m'a dit qu'elle avait joué Katisha dans *Le Mikado* !

– Ils ont laissé ce personnage à Mrs Barley parce que Katisha est censée être très laide et sa voix menaçante.

– Grands dieux ! Savez-vous où nous pourrions trouver Miss Emery ?

– Je ne crois pas qu'elle soit le moins du monde impliquée dans ce meurtre, dit Mr Potter.

– Mais elle pourrait connaître quelqu'un ou avoir des informations, fit remarquer Paul.

– J'ignore son adresse, mais je sais qu'elle travaille à la Banque des Midlands et Cotswolds à Mircester. »

« Retour à Mircester, gémit Paul quand ils repartirent. Nous nous cramponnons à des fétus de paille.

« – C'est toujours mieux que de rester assis à ne rien faire », répliqua Agatha.

Elle regarda par sa fenêtre pendant qu'ils descendaient Fish Hill. De gros nuages noirs roulaient sur les collines de Malvern.

« Zut, on dirait qu'il va recommencer à pleuvoir.

– Pas grave, répondit Paul, qui conduisait. J'ai des parapluies à l'arrière.

– Un vrai boy-scout ! Prêt à tout. Il se fait tard. Vous croyez qu'elle sera encore à la banque ?

– Ils ferment à seize heures trente, mais ils restent dans les bureaux jusqu'à dix-sept heures trente pour mettre leurs registres à jour ou finir ce qu'ils ont à faire. »

Ils arrivèrent devant l'agence quelques minutes avant dix-sept heures trente.

« Il y a encore de la lumière, dit Agatha. Attendons pour voir qui va sortir. »

Ils se postèrent près de la porte. À dix-sept heures trente précises, plusieurs femmes sortirent.

« Miss Emery ? leur demanda Agatha.

– Maisie ne va pas tarder », répondit l'une d'elles.

Une maigrichonne avec un minois de petit lapin apparut quelques minutes après. « Miss Emery ? s'enquit Agatha.

– Qu'est-ce que je peux faire pour vous ? L'agence est fermée.

– Cela ne concerne pas un problème bancaire. Il s'agit de l'assassinat de Mrs Barley. »

Sa bouche s'ouvrit toute grande, révélant de longues dents irrégulières.

« Robin ! *Assassinée !*

— Oui, la nuit dernière, dans sa loge. Vous ne le saviez pas ? Vous n'étiez pas au théâtre ?

— Non, il n'y avait pas de rôle pour moi. Ils ont voulu me faire jouer un soldat, avec un masque à gaz, mais j'étais sûre que c'était Robin qui l'avait suggéré pour m'humilier, alors je leur ai dit d'aller se faire voir.

— Un de vos clients a bien dû vous en toucher un mot. Il ne doit être question que de ça dans toute la ville.

— Non, personne… Quoique, attendez ! Une dame a dit qu'elle avait entendu parler d'un accident au théâtre, rien de plus.

— Voudriez-vous venir boire un verre avec nous ? proposa Paul. Nous aimerions que vous nous parliez de Robin. »

Elle les dévisagea avec suspicion. Agatha regretta d'avoir perdu son ami de jadis, sir Charles Fraith. Il suffisait de mentionner son titre pour délier les langues.

— Permettez-moi de nous présenter, dit-elle. Je suis Mrs Agatha Raisin et voici Mr Paul Chatterton. Nous secondons la police dans ses enquêtes. » Et c'était loin d'être faux, ajouta-t-elle en son for intérieur.

Paul adressa à Maisie un charmant sourire et celle-ci se dégela sensiblement.

« D'accord, concéda-t-elle, mais je n'aime pas les bistrots ordinaires. Il y a un bar à cocktails à l'Hôtel George. »

Le bar à cocktails du George ressemblait surtout à une petite antichambre désuète, étouffante et encombrée, avec un comptoir minuscule que tenait un antique barman. Maisie réclama une vodka-Red Bull et manifesta une contrariété boudeuse quand le serveur l'informa, une lueur de satisfaction revêche dans l'œil, qu'il ignorait tout du Red Bull. Paul lui suggéra aussitôt d'essayer une combinaison plus exotique et lui commanda un cocktail baptisé Spécial Soleil Levant. Maisie accueillit avec approbation la grande coupe de liquide bleu couronnée d'une série d'ombrelles en papier poussiéreuses qu'on lui apporta. Agatha jugea, à part elle, que ce n'était pas la première fois que ces ombrelles décoraient des cocktails.

« Alors, que pouvez-vous nous dire à propos de Robin ? s'enquit Paul.

— Mais comment est-elle morte ?

— Empoisonnement au cyanure. Quelqu'un lui a offert un bouquet et a glissé des boulettes de cyanure dans l'eau du vase. Le gaz qui s'en est dégagé était mortel.

— Eh bien ça alors ! Et ça s'est passé où ? Dans son atelier ? fit Maisie, l'œil luisant d'excitation.

— Non, dans sa loge après la répétition générale. Est-ce qu'elle avait des ennemis ? »

Pour une fois, Agatha était heureuse de laisser Paul diriger l'entretien et poser les questions. Maisie commençait déjà à lui lancer des regards enjôleurs.

« Il y avait des masses de gens qui ne l'aimaient pas. Le public, c'étaient surtout des amis et de la famille. Elle nous ridiculisait. Quelques-uns des homos de la ville venaient même, vous savez, juste histoire de rire. J'ai essayé de dire au metteur en scène que nous pourrions nous passer de ses sous, si nous arrivions à donner des représentations convenables, mais elle déboursait des fortunes pour les costumes et les décors, et le théâtre lui appartenait.

– D'où tirait-elle tout cet argent ? demanda Paul.

– Son mari était propriétaire de toute une chaîne de supermarchés. Quand il est mort, elle les a vendus pour des millions.

– Est-ce que quelqu'un la détestait tout particulièrement ?

– Je crois qu'on en était tous à peu près au même point. Mais tout de même, aucun d'entre nous n'aurait été jusqu'à l'empoisonner. On n'aurait pas su comment s'y prendre. »

Agatha prit le relais :

« Est-ce que Harry Witherspoon était à la répétition générale ?

– Sais pas. Je ne vois pas pourquoi il aurait dû y être. Il aurait juste été un des Écossais ou un des soldats, vous savez.

– Il ne jouait pas un petit rôle, d'habitude, de toute façon ?

– Eh bien, il y avait son asthme et son rhume des foins, vous voyez. Pour commencer, il ne voulait pas porter un masque à gaz. Il disait que cela le gênait pour respirer. Ensuite, cet imbécile de metteur en scène, il a décidé que là où le bois de Birnam est censé venir à Dunsinane dans *Macbeth*, les soldats devraient tenir des bouquets de fleurs au lieu de branches d'arbre. Quelqu'un lui a demandé pourquoi. Il a dit que c'était pour mieux dénoncer les atrocités de la guerre. Abruti ! conclut-elle d'un ton venimeux avant de lever son verre vide : Je pourrais en avoir un autre ?

– J'y vais », dit Agatha.

Le barman, plongé dans son journal, ne manifesta aucunement l'intention de s'occuper d'Agatha Raisin jusqu'au moment où elle frappa du poing sur le zinc en hurlant : « Service ! »

« Et ce metteur en scène, comment s'appelle-t-il ?

– Brian Welch.

– Et comment a-t-il atterri là ? s'informa Paul à l'instant où Agatha revenait, triomphante, après avoir contraint le barman à décorer le cocktail de Maisie avec des ombrelles neuves.

– De qui parlons-nous ? s'enquit-elle.

– Du metteur en scène, Brian Welch. Je demandais à Maisie d'où il sortait.

– Il a raconté qu'il travaillait habituellement avec la Royal Shakespeare Company, expliqua Maisie, mais quelqu'un a dit qu'en fait, il n'avait mis en scène qu'une production d'amateurs à Stratford. Il détestait Robin.

– Vous ne savez pas où il habite, par hasard ?

– Non, mais quand il n'est pas au théâtre, il passe son temps à la Couronne.

– Et comment est-il ?

– Petit et gros, avec une tignasse blonde et des fringues moches. »

Ils lui posèrent d'autres questions, mais sans rien glaner de bien important et, après avoir pris congé, ils partirent en direction de la Couronne. Agatha s'en souvenait comme de l'un des hôtels les plus miteux de Mircester.

La première personne qu'ils aperçurent en entrant dans le bar presque désert correspondait au portrait campé par Maisie.

« Mr Welch ? s'enquit Paul.

– Oui. À qui ai-je l'honneur ? »

Paul fit les présentations et expliqua ce qu'ils faisaient.

« Vous ne pouvez pas laisser la police s'occuper de ce genre d'affaires ? les rabroua-t-il en fixant son verre vide d'un air mécontent.

– Que pouvons-nous vous offrir ? proposa précipitamment Agatha.

– Un whisky.

– Un double ?

« – Avec plaisir », concéda-t-il avec un brusque sourire.

Agatha se dirigea vers le bar en songeant qu'à une autre époque, avant que le visage replet ne s'empâte et ne se couperose, ce garçon avait peut-être été tout à fait sortable.

Elle revint, avec le whisky et des jus de fruits pour elle et Paul, juste à temps pour entendre Paul affirmer :

« Non, ça ne pouvait pas être un suicide.

– Franchement, ça ne m'étonnerait pas d'elle ! Cette garce faisait tout pour démolir la pièce ! "Vous n'avez aucun sens historique !" piailla-t-il en contrefaisant haineusement la voix de Robin. Pouah ! Vieille demeurée, va ! Je l'ai incendiée devant toute la troupe pour lui inculquer un minimum d'humilité. Elle jouait comme un pied.

– N'était-ce pas un peu risqué ? avança Agatha. Elle était en mesure de vous virer, non ? Après tout, c'est elle qui finançait. C'est elle qui vous a embauché, n'est-ce pas ?

– Oui, mais j'avais obtenu qu'elle me fasse un contrat, donc elle n'avait qu'à aller se faire foutre.

– Mais pourquoi la Bosnie ? glissa Agatha.

– C'est ce qu'elle n'arrêtait pas de demander. Vous ne voyez pas que toute la pièce tourne autour de l'abus de la force militaire ? »

Agatha décida d'en rester là sur ce point.

« Si j'ai bien compris, Harry Witherspoon ne faisait pas partie des acteurs ?

233

– Oh, le petit commerçant qui a tué sa maman ? Non. Il radotait sur son asthme et son rhume des foins.

– Bon sang ! Pourquoi n'y ai-je pas pensé plus tôt ? s'exclama Agatha, en se dressant comme un ressort.

– À quoi ? demanda Paul.

– Aux masques à gaz, bien sûr. Ce n'était pas seulement un déguisement, mais aussi une protection contre le gaz. Robin aura évidemment cru que c'était un des figurants. Mais de fait, ça aurait aussi bien pu être n'importe quelle personne extérieure à la représentation.

– Il faut demander à Freddy, celui qui garde l'entrée des acteurs.

– Où pouvons-nous le trouver ?

– Si la police n'est pas en train de le cuisiner, chez lui, Coventry Road. Un petit cottage, tout au bout de la rue. »

« Où est Coventry Road ? demanda Paul.

– Quasiment déjà à la campagne, au sortir de la ville, sur notre chemin. Une des petites routes qui part de la nationale. Je vous dirai où tourner.

– Nous ne posons jamais les bonnes questions, remarqua Paul d'un ton funèbre.

– Par exemple ?

– Les questions de base, comme le nom de famille de Freddy. Le type d'homme qu'il est.

« – Nous le saurons bientôt, répliqua Agatha. Tournez à gauche juste après le garage. »

Paul s'engagea dans Coventry Road et ils passèrent au ralenti devant des magasins et des maisonnettes bon marché.

« Nous arrivons en pleine campagne, constata Paul et je ne vois pas d'habitation.

– Continuons jusqu'au prochain tournant.

– Le voilà ! »

Un petit cottage blanc se dressait à l'écart, d'un côté de la route.

« Une autre chose que nous aurions dû demander, dit Paul, c'est son numéro de téléphone. Il a pu sortir pour la soirée.

– Arrêtez vos lamentations. Nous allons être fixés », coupa Agatha.

Une femme en bigoudis, l'air soucieux, vint leur ouvrir.

« Nous cherchons Freddy, le gardien de l'entrée des artistes, expliqua Agatha.

– Papa est à sa parcelle. Vous êtes ? »

Patiemment, Agatha refit encore une fois tout le récit.

« Tout ça l'a un peu secoué. Il vaut mieux le laisser tranquille », trancha la femme.

Et elle leur claqua la porte au nez.

« Bon, nous savons au moins qu'il se trouve dans un jardin ouvrier. Allons demander le chemin dans le voisinage. Au garage, quelqu'un saura peut-être nous renseigner. »

Un garagiste les informa que les jardins donnaient sur Barney Lane.

« Vous ne pouvez pas les manquer, Miss. Retournez jusqu'à Haydon Close sur votre droite, faites encore quelques mètres, tournez à gauche dans Blackberry Road, et ensuite la seconde route à droite, c'est Barney Lane. »

Ils se fourvoyèrent à plusieurs reprises, car Agatha avait oublié les instructions et Paul déclara injustement que les femmes n'avaient aucun sens de l'orientation pour dissimuler qu'il ne s'en souvenait guère plus. Ils finirent par découvrir les jardins, des bandes de terre où des hommes s'occupaient de leurs légumes.

Ils demandèrent au premier qu'ils virent où ils pouvaient trouver Freddy, et il leur désigna du pouce un vieil homme courbé sur une platebande.

Ils le rejoignirent et, suivant un rituel maintenant bien rodé, se présentèrent et lui expliquèrent pourquoi ils souhaitaient lui parler.

« Freddy Edmonds, répondit-il en leur tendant une main terreuse qu'ils serrèrent tous les deux. Venez dans mon bureau », invita-t-il, avec un sourire qui plissa toutes les rides de son visage.

Son « bureau » était un cabanon, sur le côté du lopin, où s'alignaient des rangées impeccablement tenues de laitues, de choux, de pommes de terre et divers autres végétaux qu'ils ne purent identifier.

Il s'assit sur une caisse, ôta sa casquette graisseuse et tira une pipe de sa poche. Paul s'installa sur une autre caisse et Agatha sur un vieux siège de voiture.

« La police est déjà passée », commença-t-il en puisant dans un pot à tabac de quoi bourrer sa pipe.

Agatha avait parfois peine à concevoir que l'on pût se casser la tête à fumer la pipe. C'était une telle corvée de la remplir, tasser le tabac, l'allumer, la rallumer à chaque fois qu'elle s'éteignait et pour finir, gratter et nettoyer le fourneau, pour devoir finalement tout recommencer.

« Ils m'ont demandé si quelqu'un s'était introduit par l'entrée des acteurs pendant la représentation. Je leur ai dit : non, personne. Le premier, ça a été le recteur qui avait rendez-vous avec Mrs Barley.

– Et des gens qui sortaient ? Je veux dire : auriez-vous remarqué quelqu'un qui serait passé devant vous encore en costume ? Voyez-vous, ç'aurait pu être quelqu'un d'extérieur à la troupe, mais qui aurait porté un masque à gaz.

– Eh bien, vous savez, répondit-il en exhalant un nuage de fumée malodorante, quand le recteur a donné l'alarme, ils étaient toujours dans leurs loges, les policiers sont arrivés en quelques minutes et ils en ont laissé deux pour garder cette porte.

– Et il n'y a pas d'autre issue ?

– Aucune. S'ils veulent sortir, il faut qu'ils passent devant moi. »

Il y eut un long silence, puis Agatha reprit :

« Ce doit être un boulot d'un ennui mortel. Vous le faites depuis toujours ?

– Non, j'ai travaillé au chemin de fer jusqu'à ma retraite. J'ai vu une annonce dans le journal local et j'ai eu la place. Je me souviens d'autrefois, quand c'était le Théâtre de la Gaieté. Il est resté un bon moment à l'abandon, jusqu'à ce que Mrs Barley le rachète.

– Oui, nous venons juste d'apprendre qu'elle en était devenue propriétaire, en effet.

– J'espérais qu'ils l'appelleraient la Gaieté, comme au bon vieux temps, mais c'est juste les Acteurs de Mircester, et encore, que des amateurs. Enfin, c'est toujours du travail. »

Au-dessus de la tête de Freddy, une étagère regorgeait de livres et de revues d'horticulture.

« Vous lisez des tas de choses sur le jardinage, constata Paul.

– Tout ce que je peux trouver. »

Agatha se figura soudain Freddy, assis dans sa guérite de verre à l'entrée des artistes – car il y avait forcément un genre de cabine, c'était pareil partout –, captivé par un manuel d'horticulture ou une revue de jardinage, tandis qu'une ombre silencieuse passait rapidement devant lui.

« Il faisait très chaud ce soir-là, dit-elle. Est-ce que la porte sur la rue était ouverte ?

– Oui, il fallait vraiment un peu d'air.

– Alors vous n'auriez pas entendu quelqu'un entrer ?

– J'aurais entendu des pas et j'aurais levé le nez.

– Est-ce que quelqu'un aurait pu se faufiler devant le guichet en se courbant, hors de votre champ de vision ?

– Je suppose que oui, répondit-il, mal à l'aise.

– Vous n'avez pas eu besoin d'aller aux toilettes ? » s'enquit Paul.

Il tira longuement sur sa pipe.

« Si, mais j'ai bouclé à clef la porte extérieure avant d'y aller.

– Combien de fois ? demanda Agatha.

– Trois. Ma vessie n'est plus ce qu'elle était. Vous savez ce que c'est.

– Pas encore, répliqua Agatha d'un ton glacial.

– Et vous avez fermé la porte à chaque fois ? » reprit Paul.

Un autre long silence tandis que Freddy tirait énergiquement sur sa pipe : « Pour sûr ! répondit-il enfin.

– Dites-nous un mot de Robin Barley, poursuivit Agatha. Est-ce qu'il y avait quelqu'un qui la haïssait vraiment ?

– Elle hérissait pas mal de gens, ça c'est sûr. Mais c'est tous une bande de cabotins finis. Quelquefois dans la journée, je tombe sur eux à leur travail, à la banque, dans les boutiques, et ils sont sages comme des images. Mais sitôt qu'ils mettent le pied au théâtre, ils se prennent tous pour Tom Cruise et Sophia Loren.

– Vous la connaissiez bien ?

— Pas plus mal qu'un autre, je suppose. Mais vous savez, elle faisait beaucoup pour l'Église et les bonnes œuvres, et il faut bien reconnaître que sans son argent, il n'y aurait pas d'Acteurs de Mircester, et moi, je n'aurais pas la place. Elle était folle de spectacles. Quand elle m'a reçu pour l'entretien d'embauche, j'ai senti qu'elle me voyait comme un personnage de comédie — le bon vieux Freddy qui porte la main à sa casquette sur le passage de la vedette. Alors j'ai joué le rôle, comme elle attendait.

— Qu'est-ce que vous faisiez, au chemin de fer ? demanda Agatha, qui éprouvait tout à coup le sentiment que Freddy, à sa façon, valait bien tout le reste de la troupe comme acteur.

— J'étais chef de secteur.

— Je pense que vous êtes quelqu'un de très intelligent, observa Agatha. Et pourquoi cette parcelle ?

— J'aime faire pousser des choses. Et puis c'est tranquille ici. Personne pour m'embêter.

— Je suppose que la pièce est suspendue ?

— La première aura lieu demain. Le metteur en scène, il croit que le meurtre de Robin va attirer du monde et il compte bien en tirer des sous. C'est Maisie Emery qui va jouer lady Macbeth.

— Robin était veuve. Avait-elle des hommes parmi ses amis ? Sortait-elle avec quelqu'un ?

— Pas que je sache, mais ce qui se disait, c'est qu'elle passait sa vie à s'enthousiasmer pour tout un tas de trucs qu'elle laissait tomber ensuite :

Pilates, méditation transcendantale, salsa, tout ce que vous voudrez.

– Si jamais vous apprenez quelque chose de nouveau, contactez-nous », pria Agatha en lui tendant sa carte.

« Je n'ai pas l'impression que nous ayons perdu notre temps, dit-elle à Paul sur le chemin du retour. Il est très astucieux. Au début, quand il nous a dit qu'il travaillait au chemin de fer, et puis en le voyant avec sa pipe, sa casquette graisseuse et ses vieilles nippes de jardinage, je me suis figuré qu'il devait s'agir d'un simple préposé à l'entretien des voies. Mais en l'écoutant, j'ai réalisé qu'il était bien plus fin que je ne l'avais cru.

– Pas de snobisme, Agatha. Je suis sûr que ce coin grouille de prolétaires très intelligents.

– Mais non, c'est vous qui faites du snobisme ! »

Il s'ensuivit une dispute qui les occupa tout le long du chemin.

Devant le cottage d'Agatha, Paul déclara : « Assez discuté de la classe ouvrière. Tout ça nous mène où ? Je sèche complètement.

– La nuit porte conseil, allons dormir », conclut Agatha.

Fait inhabituel pour elle, elle avait envie d'être seule. Il y avait quelque chose d'un peu humiliant à passer tant de temps avec un homme qui ne flirtait pas.

« À demain. »

Elle rentra, cajola ses chats et les lâcha dans le jardin. Elle était soulagée pour une fois de ne plus avoir à avancer à l'aveuglette, à bombarder les gens de questions pour tenter de trouver une faille.

Elle fouilla dans son congélateur, en tira un paquet tout encroûté de glace et le déposa dans le micro-ondes. Au signal sonore, elle l'en retira et constata que c'était une portion de lasagnes Marks & Spencer. Ça pourrait être pire, songea-t-elle en le remettant dans le four et en réglant le thermostat au maximum. Après l'avoir avalé, elle fit pocher une paire de harengs pour ses chats sans mesurer un instant ce qu'il y avait de comique à cuisiner des produits frais pour ses animaux familiers, tout en se nourrissant de surgelés.

9

Paul ne donna pas signe de vie le lendemain matin et Agatha n'éprouva pas grande envie de passer le voir ou de l'appeler. Elle ressentait vivement, après coup, le choc de la mort de Robin et elle se sentait à la fois furieuse, coupable et obscurément responsable. Qui serait la prochaine victime de ses interventions intempestives ? Le gardien de l'entrée du théâtre, Freddy ?

Sur un coup de tête, elle boucla son cottage, monta dans sa voiture et partit pour Londres. Elle se rendit dans un salon de beauté qu'elle fréquentait du temps où elle habitait la capitale. Apprenant que tous leurs rendez-vous étaient pris, elle manifesta tant de contrariété et d'exaspération que la réceptionniste, avertie par téléphone, au beau milieu de la diatribe d'Agatha, d'une annulation – « un vrai miracle, mes douces ! rapporta-t-elle le soir à ses colocataires. J'ai bien cru qu'elle allait me frapper ! » –, se hâta de lui allouer la séance.

Agatha s'offrit un traitement complet : soins du

visage, enveloppement, et épilation des jambes à la cire. Lorsqu'elle en émergea quelques heures plus tard, il lui semblait avoir pris un bain de jouvence. Elle alla faire un tour chez Fenwick et tomba éperdument amoureuse d'une petite robe de mousseline de soie rose qu'elle acheta, en dépit des voix intérieures qui la prévenaient qu'à son âge, elle ressemblerait à la regrettée Barbara Cartland si elle l'arborait. Pour une fois, elle se sentait bien à Londres et goûtait l'animation de la métropole. Elle s'assura une table dans l'un des restaurants les plus en vogue de la capitale, en réservant tout bonnement au nom de la duchesse de Cromarty. Après avoir clôturé un plantureux repas par une solide portion de la fameuse tarte à la ganache-chantilly qui faisait la célébrité de la maison, elle regagna sa voiture avec la certitude que son fastueux déjeuner avait anéanti tous les bienfaits de sa séance d'enveloppement matinale. Sa jupe la serrait à la taille.

Sur le chemin du retour, un terrible accident bloquant la M40 la retarda d'une heure. Le sentiment de bien-être que son escapade lui avait procuré l'abandonna. Elle se tourmentait pour ses chats. Elle n'aurait jamais dû les laisser enfermés à l'intérieur du cottage pour toute la journée.

Quand elle bifurqua sur la route de Carsely, elle était déchirée par un combat intérieur. La moitié de son esprit lui conseillait de ne plus se mêler de rien. L'autre moitié soutenait au contraire que tout ce qu'elle pourrait faire pour élucider les meurtres atténuerait la culpabilité qui la hantait depuis ses bourdes lors de la découverte et du nettoyage du souterrain, et depuis la mort de Robin. En descendant de sa voiture, elle remarqua que les épais rideaux de la fenêtre de son salon étaient clos. Elle avait dû oublier de les ouvrir avant de partir.

Elle pénétra dans le cottage et s'arrêta dans l'entrée obscure. Ses chats ne venaient pas à sa rencontre. Elle tendit la main vers le bouton électrique et resta pétrifiée d'horreur, les yeux fixés sur la porte du salon. Une raie lumineuse filtrait sous le battant. La terreur lui fit perdre la tête. Au lieu de se réfugier dans son véhicule, de démarrer et d'alerter la police, ou de se précipiter à côté pour appeler Paul à la rescousse, elle empoigna une solide canne de randonnée posée près de la porte d'entrée et ouvrit à la volée celle du salon.

Sir Charles Fraith, roulé en boule sur le canapé, dormait du sommeil du juste, les chats blottis contre lui.

« Comment diable es-tu entré ? » rugit Agatha.

Il ouvrit les yeux, sourit et s'étira avec la même insolence paresseuse que les deux félins, qui se laissèrent tous deux glisser du sofa et vinrent s'enrouler autour de ses jambes.

« Tu ne t'en souviens pas, Aggie ? J'ai un jeu de clefs. C'est toi qui me les avais données, il y a une éternité. Tu as vraiment l'air féroce.

— Mais où est ta voiture ? Je ne l'ai pas vue.

— Tout au fond de l'allée. »

Agatha s'écroula dans un fauteuil et l'examina.

« J'ai failli mourir de peur, à cause de toi ! Tu as l'air... différent. »

Le Charles de leur dernière rencontre, guindé et marié, bouffi et le crâne déjà dégarni, avait disparu. À sa place, elle retrouvait l'homme d'autrefois, soigné, mince, vêtu avec recherche et pourvu d'une abondante chevelure.

« Des implants capillaires, peut-être ?

— Non, je me suis débarrassé du cancer. C'est la chimiothérapie qui me rendait chauve.

— Du cancer ! » s'écria Agatha, horrifiée, dans un filet de voix. Elle se souvint de l'époque où James en était atteint et le lui cachait. Son cœur manqua quelques battements.

« Tu ne m'en as pas parlé !

— Non, et à presque personne. Les gens réagissent si bizarrement...

— Cancer de quoi ?

— Du poumon.

— Merde alors !

— Oui, comme tu dis, merde alors, mais je suis guéri et je me porte comme un charme.

— Comment vont ta femme et tes enfants ?

— Tu m'offres un verre ? »

Agatha se leva et se dirigea vers le placard, jetant par-dessus son épaule :

« Ça ne te ressemble pas ! D'habitude, tu te sers tout seul.

— J'en avais bien l'intention. Mais j'ai lu le journal local et je me suis endormi. Whisky, Aggie, malt si tu as. »

Agatha lui versa une généreuse rasade, puis une autre pour elle-même.

« Santé, dit-elle en se rasseyant. Tu n'as pas répondu à ma question. Comment va la famille ?

— Envolés. Tous.

— Qu'est-ce qui s'est passé ?

— Pendant que j'étais à l'hôpital, elle a filé à Paris et elle est tombée amoureuse d'un type de vingt ans plus jeune. Il est français, riche et d'un milieu influent. Le divorce a coûté une fortune à sa famille.

— C'est terrible ! Et tes enfants ? Ils doivent te manquer affreusement.

— J'ai un droit de visite, expliqua-t-il, après avoir pris une gorgée de whisky, et ils peuvent venir voir leur cher papa quand ils en ont envie et aussi long-temps qu'ils le veulent. Ça m'étonnerait qu'ils le fassent. On dirait deux petits étrangers. Très bruns, très français. Refusent de parler anglais.

— Ça a dû te briser le cœur.

— Bien au contraire, assura-t-il, l'air amusé. Ça m'a paru une bénédiction. Plus de cancer, plus d'épouse française pour me harceler. Bon vent à tous les deux ! »

Agatha l'examina avec curiosité.

« Les gens qui guérissent du cancer se découvrent généralement une inclination pour la spiritualité. Je veux dire qu'ils ont l'impression qu'on leur a donné une nouvelle vie, comme s'ils avaient connu une seconde naissance.

– Vraiment ? Comme c'est étrange », commenta Charles, avec un amusement renouvelé.

Toujours aussi égoïste, perso et réservé, songea Agatha.

« Et quel bon vent t'amène ici ?

– Un mélange de curiosité et d'ennui. Ma tante a mis la maison sens dessus dessous pour je ne sais quel gala au bénéfice de la Croix-Rouge. Je n'avais pas la moindre envie d'être embarqué là-dedans. On s'entretue et on s'étripe joyeusement, du côté de chez Aggie, me suis-je rappelé, et j'ai parié que tu étais en plein dans l'œil du cyclone.

– Si seulement tu pouvais te tromper…, soupira Agatha. Je te raconterai tout ça. Mais je vais d'abord aller mettre quelque chose de plus confortable, si ça ne t'embête pas.

– Mais pas du tout, fais donc, assura Charles, l'œil brillant de malice. J'ai cru que tu n'allais jamais me le demander ! »

Agatha enfila un caftan noir et or qu'elle avait acheté des années plus tôt en Turquie et remplaça ses chaussures à talons hauts par des pantoufles. C'était agréable de voir Charles, pensa-t-elle. Elle n'avait pas à se soucier de son apparence.

Elle redescendit, appela ses chats, emplit leurs gamelles du poisson qu'elle avait poché avant de partir et leur entrebâilla la porte du jardin pour qu'ils puissent sortir quand ils seraient repus.

Dehors, au bout de Lilac Lane, Mrs Davenport s'éloignait. Agatha était rentrée dans le salon et avait rouvert les rideaux. Un peu plus tôt, Mrs Davenport avait vu un homme pénétrer dans le cottage. Dans son sac à main, elle avait l'adresse de Juanita. Elle avait fini par l'obtenir, par hasard, tout simplement parce qu'elle s'était trouvée dans l'épicerie juste au bon moment. Il s'était avéré que Juanita, qui raffolait des caramels locaux, avait écrit pour en commander une boîte. « Je vais lui en envoyer une, moi aussi, avait prétendu Mrs Davenport. J'avais son adresse, mais je l'ai égarée. » Ladite adresse en sa possession, elle avait averti Juanita que son mari avait une liaison avec Agatha Raisin, par une lettre qu'elle n'avait pas jugé bon de signer. Inutile que la redoutable Mrs Raisin apprenne l'identité de la dénonciatrice.

Agatha s'installa dans un fauteuil.

« Voilà qui est mieux. J'aime bien garder mes rideaux ouverts quand je suis là, je ne les ferme que pour monter me coucher.

– Bon, et maintenant, raconte-moi tout », demanda Charles.

Agatha dévida toute l'histoire, depuis le commencement, sans omettre un seul détail. Charles avait une grande capacité d'écoute, ce qui était très reposant.

« Quel gâchis, commenta-t-il quand elle eut terminé. Mais avant que je ne donne mon avis, qu'en est-il de Paul ? Est-ce que je risque de perturber vos affaires sentimentales ?

— Il est marié. Et de toute façon, comment pourrais-tu perturber quoi que ce soit ?

— J'ai pris la liberté de déballer mes bagages dans la chambre d'amis.

— Tu te crois tout permis, n'est-ce pas ! D'accord, tu peux rester. Donc, que penses-tu de ces meurtres ? Je ne peux pas croire une seconde que Harry Witherspoon en soit l'auteur.

— Pourquoi ? Il est le seul à qui sa mort pouvait profiter.

— Je sais, je sais. Je peux l'imaginer en train de commettre le premier, mais pas le second. Lui et sa sœur nous ont demandé, à Paul et à moi, de démasquer l'assassin de leur mère.

— Tu as omis de me le dire.

— Désolée.

— J'aimerais faire sa connaissance.

— Je suis certaine qu'il a passé pas mal de temps entre les mains de la police. Nous pourrions essayer demain. Ce serait la moindre des politesses d'en parler à Paul et de lui proposer de nous accompagner. »

Un vigoureux coup de sonnette les interrompit.

« C'est un peu tard pour une visite, remarqua Agatha en se levant. J'espère que ce n'est pas cet odieux Runcom. Je ne me sens pas assez d'attaque pour lui tenir tête ce soir. »

Elle ouvrit la porte et se trouva nez à nez avec Paul.

« J'ai vu votre voiture, expliqua-t-il.

– Entrez. Un de mes amis est là. »

Elle le précéda dans le salon et fit les présentations : « Charles m'a donné un coup de main dans pas mal d'autres affaires, précisa-t-elle.

– Nous pensions aller voir Harry Witherspoon, demain, dit Charles, qui ajouta dans un bâillement, en s'étirant : Explique-lui tout, Aggie. Je monte me coucher. »

En ouvrant la porte, il se retourna et sourit à Agatha.

« Ne tarde pas trop, chérie », ajouta-t-il.

Un lourd silence tomba.

« Ce n'est pas ce que vous pensez, se justifia enfin Agatha. Charles n'est qu'un ami.

– Un ami très intime, il me semble, répondit Paul. Il vaudrait mieux que je vous laisse.

– Vous ne voulez pas venir voir Harry avec nous, demain ?

– Non, je serai absent. J'aurais été de trop.

– Oh, ne faites pas l'idiot. Je vais dire à Charles de dégager.

– Pas la peine. De toute façon, j'ai du travail. »

Paul semblait décidément d'une humeur massacrante.

Il regagna son cottage. Deux des dames du village qui avaient tenté de s'insinuer dans ses bonnes grâces à son arrivée l'avaient mis en garde contre

Agatha Raisin. Elles avaient laissé entendre que c'était une femme qui avait eu des liaisons. Cela avait piqué sa curiosité et l'avait poussé, au départ, à faire la connaissance de sa voisine. C'était avec une certaine déception qu'il avait découvert, au lieu d'une femme fatale, une quinquagénaire au caractère ombrageux. Force lui avait été de s'avouer par la suite qu'elle était terriblement émoustillante par certains côtés, mais il avait aussi senti toute la vulnérabilité qui se dissimulait sous la dure carapace, et s'était abstenu de lui faire des avances plus sérieuses. Soudain son explosive épouse lui manqua. Il tendit la main vers le téléphone, puis se ravisa. Elle lui serinerait son refrain habituel – s'il l'aimait, il reviendrait s'installer en Espagne – et cela finirait une fois de plus par une dispute.

Il n'avait pas sommeil. Il alluma son ordinateur. Il allait mettre au clair toutes les données qu'ils avaient rassemblées sur le meurtre et voir s'il pouvait trouver une piste. Ce serait agréable de résoudre ce cas tout seul.

Agatha fit une entrée fracassante dans la chambre d'amis. Charles lisait dans son lit.

« Était-il vraiment indispensable de lui faire croire que nous avons une liaison ? s'enquit-elle d'un ton acerbe.

– C'était pour rire, Aggie. N'importe comment, il n'a pas à te tourner autour comme ça. Tu m'as dit que ton Watson était marié.

– Pas tant que ça, répliqua Agatha, boudeuse.

– On est marié ou on ne l'est pas. Et d'ailleurs, c'est un zéro. Beau garçon, je te l'accorde, mais un zéro quand même. Aucune personnalité.

– Serais-tu jaloux, Charles ?

– Moi ! Jamais de la vie ! Allez, viens donc.

– Tu ne renonces jamais, hein ?

– Ça vaut toujours le coup d'essayer », répondit Charles en s'étirant paresseusement.

Agatha sortit en claquant la porte.

Le grésillement du bacon qui rissolait dans la poêle la tira du sommeil de bon matin. Elle se leva, fit sa toilette et descendit à la cuisine.

« J'allais justement t'appeler, dit Charles, debout devant la cuisinière. Le petit déjeuner est presque prêt.

– Surtout, n'hésite pas à te servir dans mes provisions, ironisa Agatha.

– C'est bien ce que j'ai fait. Un œuf ou deux ?

– Un seul. Je me passe de petit déjeuner, d'habitude, comme tu le sais fort bien, dit Agatha en s'asseyant à table. J'avale juste une tasse de café.

– Ça te donnera du cœur au ventre, assura-t-il en faisant glisser une pleine assiette de bacon, de saucisses et d'œuf jusqu'à elle.

– Je me sens un peu coupable envers Paul », dit Agatha, en taquinant avec sa fourchette le contenu de son assiette.

Quand Charles retourna au fourneau, elle pré-

leva une tranche de bacon et la lâcha subrepticement sur le sol pour ses chats.

Charles se servit également et prit place en face
d'elle. Il portait une tenue décontractée – décontractée pour lui –, c'est-à-dire une chemise à carreaux bleus et blancs et un pantalon de coton bleu
foncé.

« Ce que je n'arrive pas à comprendre, déclara-
t-il entre deux bouchées, c'est pourquoi on a tué
cette malheureuse Robin, plutôt que toi. Tu as
rôdé partout en cuisinant les gens à propos du
meurtre, or, jusqu'à présent, tu n'as pas même été
menacée.

– Ça signifie simplement qu'elle avait repéré
quelque chose qui m'a échappé.

– Je serais curieux de savoir quoi. J'aimerais
rencontrer le recteur de Wormstone et lui poser
quelques questions supplémentaires. Elle aurait pu
être mêlée à je ne sais quelle affaire ou se lier à
quelqu'un. Lui as-tu demandé si elle avait des fréquentations masculines ?

– Je ne crois pas.

– Eh bien voilà ! Il n'y a peut-être aucun lien
entre son assassinat et le premier. »

Charles acheva son repas et se leva. Le chat
Hodge se faufila sous ses yeux dans le jardin,
suivi de Boswell. Hodge avait une saucisse entre
les dents.

« Quel gâchis ! protesta Charles, mécontent.

Après tout le mal que je me suis donné, tu n'étais pas censée en régaler tes chats. Enfin, allons-y. »

Le magasin de Harry Witherspoon était fermé, une pancarte « À VENDRE » placardée en vitrine. « Espérons qu'il est chez lui, dit Agatha, il n'habite pas loin. »

Harry leur ouvrit la porte en clignant des yeux, ébloui par le soleil.

« Ah, c'est vous, fit-il sans aménité. Entrez. Qui est-ce ? Où est l'autre type ?

— Je vous présente sir Charles Fraith, qui m'a aidée dans plusieurs affaires antérieures. »

Ah ! la magie des titres aristocratiques ! songea Agatha, car Harry, soudain tout sourire, se multipliait en amabilités :

« Puis-je vous offrir quelque chose ? Est-il trop tôt pour un petit verre ?

— Rien pour nous, répliqua Agatha d'un ton décidé. Que dites-vous de cette histoire avec Robin Barley ?

— Je n'y comprends rien du tout, répondit Harry, l'air complètement désorienté. Elle était absolument horripilante, mais de là à la tuer, et d'une manière aussi réfléchie !

— Et vous n'étiez pas au théâtre ? demanda Charles.

— Non, Dieu merci. Au moment où on l'a assassinée, j'étais dans un bistrot de Broadway et je buvais un pot avec un gars qui est aussi dans le commerce d'antiquités, et qui s'apprête à me faire une belle offre pour mon stock, et peut-être même à reprendre le magasin. J'ai besoin de disponibilités. Les avocats acceptent de m'avancer des fonds sur l'héritage de maman, parce que je n'ai pas été inculpé, mais je voudrais que tout soit réglé une bonne fois pour toutes.

— Est-ce que Robin avait des amants ? s'enquit Agatha.

— Aucune idée. Elle s'affichait beaucoup avec une bande de jeunes homos. À part cela, elle était en bons termes avec le pasteur de son village. Nous autres, nous nous tenions plutôt à distance.

— J'ai quelques questions à propos du passage secret, poursuivit Agatha. Quand Paul et moi avons demandé à fouiller la maison, vous nous avez refusé la permission. Pourquoi ? Vous le connaissiez ? »

Il secoua la tête.

« Vous ne pouvez pas imaginer la façon dont nous avons été élevés. Sitôt rentrés de l'école, elle nous enfermait à clef dans nos chambres et ne nous libérait qu'une demi-heure pour le dîner ; ensuite, elle nous bouclait à nouveau pour la nuit. Je me suis souvent enfui par la fenêtre, juste pour sortir un peu. Maman s'en est aperçue et a prétendu que c'était Carol qui avait rapporté. Quand j'avais des ennuis, elle m'affirmait toujours que c'était Carol qui m'avait dénoncé. Maintenant, je vois bien que Carol n'y était pour rien et que c'était seulement sa manière de diviser pour régner.

– Mais votre mère ne pouvait ignorer l'existence de ce passage.

– Je pense que si. Sinon, quand cette histoire de revenants a commencé, elle l'aurait mentionné aux policiers. Je me souviens de l'avoir entendue dire une fois que, lorsqu'elle a acheté la maison, la cave était tout encombrée de vieilleries, et qu'elle devrait bien faire enlever tout ça. Mais elle a toujours été très près de ses sous, et c'est sans doute la raison pour laquelle elle a tout laissé là.

– Je me demande s'il y a un rapport entre les deux meurtres, commenta Charles.

– Je ne vois vraiment pas comment, répondit Harry avec un haussement d'épaules empreint de lassitude. Vous savez, Robin horripilait des foules de gens. »

« Nous ne sommes guère avancés, dit Charles sur la route de Wormstone. Espérons que Mr Potter, le recteur, nous fournira un tuyau quelconque. »

Mr Potter les accueillit avec bienveillance, mais manifesta quelque étonnement qu'Agatha puisse attendre de lui des précisions supplémentaires, en sus de celles qu'il lui avait déjà données.

Sa gouvernante leur servit le thé dans le paisible jardin du presbytère, entouré d'abricotiers qui poussaient en espalier le long d'un mur de pierre joliment patiné par les ans, et orné d'un grand bassin circulaire où des nénuphars déployaient au soleil leurs larges pétales de cire. Agatha contempla le visage indulgent et serein de Mr Potter, puis le jardin si calme, et éprouva un pincement d'envie. Comme il devait être doux de se sentir en pareille harmonie avec soi-même, sans inquiétudes ni frustrations pour vous tarauder.

« Peut-être Mrs Barley avait-elle des fréquentations particulières, qui pourraient nous apporter des indices ? avança Charles.

– Pas que je sache. Elle était toujours très affairée. On aurait cru que la peinture et le théâtre suffiraient à meubler tout son temps, mais elle était constamment en train d'organiser quelque chose de nouveau.

– Par exemple ? fit Agatha.

– Oh ! Des quantités de choses ! Des spectacles dans l'église, la kermesse du village, à condition de l'ouvrir elle-même, bien sûr. Elle était d'une énergie sans limites. »

Un sourire plissa soudain son visage : « Une fois, j'ai bien cru qu'elle allait se faire tuer. »

Agatha, qui s'était laissée aller au fond de son fauteuil, se redressa subitement.

« Racontez-nous ça.

– Elle avait assisté, un jour, à une reconstitution de la bataille de Worcester, montée par l'association du Nœud Scellé à Stow. Après quoi, Mrs Barley avait décidé que nous nous devions de surpasser le Nœud Scellé. Elle avait partagé les villageois en Têtes rondes et Cavaliers. C'était pendant l'été torride d'il y a quatre ans. Je m'étais efforcé de lui faire comprendre que, vu la taille de notre village, il n'y aurait pas assez de monde pour tenir tous les rôles, mais elle ne voulait pas en démordre et affirmait que la chaîne de télévision des Midlands allait venir les filmer. Comme je vous l'ai dit, il faisait étouffant et elle avait commis l'erreur de pourvoir ses « troupes » d'abondantes provisions d'hydromel et de cidre. Au lieu de leur donner de l'entrain, la boisson est montée à la tête de plus d'un villageois. Entre la chaleur et l'agacement que tous éprouvaient à se voir ainsi forcer la main par Mrs Barley, l'atmosphère s'est vite envenimée. Il a fallu attendre la télévision qui n'est jamais arrivée ; pour finir, elle leur a crié de commencer et la bataille a pris mauvaise tournure. Je lui ai dit que j'avais très peur que ça ne se termine par des blessés.

» Elle est allée se planter au beau milieu des combattants en hurlant : "Arrêtez ! Vous vous conduisez comme des enfants !" Elle a dû bondir en arrière pour ne pas être piétinée par un cheval et elle s'est retrouvée assise dans une bouse de vache. Toute la foule est partie d'un rire tonitruant. C'était très cruel de la part des villageois, mais cela leur a rendu leur bonne humeur. La pauvre Mrs Barley a battu en retraite sans mot dire, écarlate et au bord des larmes.

— Elle avait besoin d'être conseillée pour faire les choses correctement, dit Agatha lentement.

Avait-elle auprès d'elle un historien quelconque pour la guider ?

— C'est possible, mais elle ne m'en a rien dit.

— Mais ne croyez-vous pas, demanda Agatha avec empressement, qu'elle pourrait avoir eu recours à un expert ? Avez-vous entendu parler de Mr Peter Frampton ?

— Non. Voyez-vous, des tas de gens passaient dans la vie de Mrs Barley.

— Nous vous remercions pour le thé, dit Agatha en se levant. Il faut que j'aille voir quelqu'un. »

« Peter Frampton ? fit Charles. Qui est-ce ? Tu ne m'en as pas parlé.

— Il préside la société historique de Towdey, un village près de Hebberdon. Paul et moi sommes allés à l'une de ses conférences qui devait porter sur l'histoire locale, et nous avons eu droit à un cours sur la bataille de Worcester à la place. Il s'est produit une autre anomalie. Une petite jeune fille, une certaine Zena Saxon, a débarqué en plein milieu. Je pense qu'elle et Frampton vivent ensemble, ce qui est bizarre.

— Pourquoi ?

— Eh bien, je dirais qu'elle a tout juste une ving-taine d'années, le style pilier de boîte de nuit, tan-dis que lui approche de la cinquantaine – cheveux gris, assez distingué, l'air d'être né pour jouer les députés conservateurs au cinéma.

— Pourquoi diable aurait-il commis un meurtre ?

260

— Il convoitait Ivy Cottage, la maison de Mrs Witherspoon. Peut-être qu'il espérait trouver le trésor. Peut-être qu'il connaissait le passage secret.

— Que fait-il dans la vie, en dehors de ses conférences historiques ?

— Je voudrais bien le savoir, c'est pour cela que nous allons à Hebberdon. »

Ils traversaient Mircester quand Agatha cria : « Stop ! »

Charles fit une embardée vers le trottoir et se gara sous un panneau d'interdiction de stationner. « Dépêche-toi, je n'ai pas envie de récolter une contravention ! la pressa-t-il. Que se passe-t-il ?

— Je viens de voir Paul entrer dans ce café avec Haley.

— Et qui est Haley ? s'enquit Charles patiemment.

— Une policière. Bill a le béguin pour elle. Paul a proposé de lui donner des cours d'informatique.

— Voilà pourquoi il est là.

— Il pourrait aussi bien être en train de lui soutirer des informations.

— Si c'est le cas, il te mettra certainement au courant. »

De toute sa vie, jamais Agatha n'avait éprouvé de jalousie. C'est du moins ce qu'elle voulait croire. Elle se persuada donc qu'il était dans l'intérêt de l'enquête de découvrir ce que mijotait Paul.

« Je vais juste aller les rejoindre, décréta-t-elle.

– Mais je ne peux pas rester à t'attendre ici ! protesta Charles. Je vais attraper un PV !

– Alors, trouve-toi un endroit où te garer en toute légalité et viens nous rejoindre. »

Agatha descendit de la voiture et fila en direction du café.

Paul et Haley étaient installés dans un angle.

« Bonjour, les amis ! » claironna Agatha avec un sourire de crocodile, qui ne contenait pas la plus petite pointe d'humour.

Paul la contempla avec ahurissement. Agatha pensa avec aigreur qu'il ressemblait à un mari surpris en plein adultère.

« Qu'est-ce que vous faites ici, Agatha ? s'étonna-t-il.

– Je vous ai vu avec Haley et je me suis dit que j'allais me joindre à vous, annonça-t-elle en tirant une chaise.

– Cela vous ennuierait-il d'y renoncer, Agatha ? Nous allons discuter informatique, Haley et moi, et je suis sûr que cela vous assommera.

– Dans ce cas... » Agatha reprit la direction de la porte.

« Je vous appellerai plus tard », lui cria-t-il.

En sortant, Agatha inspecta la rue. Charles n'avait pas bougé.

« Tu n'as pas pu te garer ailleurs ? s'enquit-elle en se glissant sur le siège avant.

– Je n'ai même pas essayé. J'avais l'intime conviction que tu ne serais pas longue.

– Pourquoi ?

– Quand un monsieur d'un certain âge entre dans un café avec une blonde délurée, il n'a généralement pas envie de voir débouler une tierce personne.

– Ce n'est pas ça. Je l'ai rencontrée avec Bill et elle a demandé à Paul de lui donner un coup de main avec des histoires d'ordinateur.

– Et donc ce gentil Paul si serviable t'éjecte gracieusement.

– Je suis sûre qu'il expliquera tout ça plus tard, répliqua Agatha, d'un ton pincé.

– Et maintenant, considère les choses de son point de vue à lui : il te trouve en excellents termes avec moi et il a un accès de jalousie.

– Il n'aurait pas été jaloux si tu n'avais pas laissé croire que nous avions une liaison.

– Tu devrais me remercier, déclara Charles avec hauteur. Rien de tel qu'un peu de concurrence pour pimenter les relations. Tu ne parles jamais de James.

– Hors sujet.

– D'accord. »

« Quel drôle de village, remarqua Charles en se garant dans la grand-rue de Towdey. Toutes ces maisonnettes blotties le long de la route, comme

263

autant d'animaux. Cet endroit semble regorger de secrets.

– Il fait sombre, répondit Agatha, toujours très pragmatique. J'ai l'impression qu'il va pleuvoir. »

Ils sonnèrent chez Frampton, mais personne ne répondit.

« Je suppose qu'il est à son travail, Dieu sait où. Il y a une épicerie un peu plus loin, ils seront peut-être au courant », suggéra Agatha.

La dame du comptoir les informa que Mr Frampton possédait une entreprise de construction-démolition dans la nouvelle zone industrielle à la sortie de Moreton-in-Marsh.

« Donc voilà d'où il tire ses revenus, commenta Agatha en rentrant dans la voiture. Je me demande si ce genre de travaux de démolition lui permettrait de mettre la main sur du cyanure.

– J'en doute. Je sais qu'on en utilise pour les mines. On verra bien ce qu'il raconte.

– As-tu des cartes de visite sur toi ?

– Oui, pourquoi ?

– Je le crois assez snob et je compte sur ton titre pour le dégeler.

– Agatha, tu es d'une autre époque. Je suis un simple baronet, pas un duc. Et un titre n'en impose plus à qui que ce soit de nos jours, il y a trop de guignols et de truands à la Chambre des lords.

– Essayons toujours.

– Où se trouve cette zone industrielle ? »

« — Prends la route d'Oxford. C'est juste à quelques kilomètres de la ville. »

Le siège de l'entreprise de Frampton était vaste et moderne, d'allure prospère. Au milieu d'un hall de réception étincelant, qui ressemblait à un entrelacs de tubes d'acier décoré de plantes vertes, trônait Zena Saxon, derrière un bureau. Dans le cadre professionnel, elle avait quelque peu modéré son exubérance vestimentaire et cosmétique, à première vue du moins. Elle arborait un chemisier blanc irréprochable et un maquillage discret mais, quand elle se leva et contourna son bureau pour les accueillir, ils purent constater que l'ensemble n'était complété que par un short bleu ciel exigu et d'interminables talons aiguilles.

« Ouah ! » murmura Charles.

Il lui remit sa carte, présenta Agatha et demanda à s'entretenir avec Peter Frampton.

« C'est à quel sujet ? Je pense qu'il doit être occupé, en ce moment, objecta Zena, avec l'accent nasillard et chantant de la région de Birmingham.

— Demandez-lui, je vous prie, la pressa Charles.

— Attendez ici », ordonna-t-elle avec un haussement d'épaules.

Tandis qu'elle s'enfonçait, d'une démarche onduleuse, dans les entrailles du bâtiment, Charles déclara :

« Frampton a de la chance. C'est sûrement le plus ravissant postérieur des Midlands.

265

« – Un peu de tenue ! » intima sèchement Agatha, morose, en méditant sur la malédiction qui frappait les femmes mûres, condamnées à voir les hommes de leur âge lorgner des jeunesses qui auraient pu être leurs filles.

Après s'être absentée fort longtemps, Zena finit par réapparaître, suivie de Peter Frampton, dans un costume admirablement coupé, un casque de chantier à la main.

« Est-ce important ? demanda-t-il.

– Oui, répondit Charles. Connaissiez-vous une certaine Mrs Robin Barley ? »

Il fronça les sourcils, appuya son index effilé sur son front. Enfin son visage s'éclaira : « Ça ne me dit rien du tout.

– La question n'a pas l'air de vous surprendre, remarqua Agatha.

– Elle devrait ?

– Mrs Robin Barley est la victime de ce meurtre au cyanure qui a fait tellement sensation dernièrement.

– Ah, cette Mrs Barley-là ! Voilà pourquoi j'ai hésité, le nom me paraissait familier. Mais non, désolé.

– Pourtant le recteur de Wormstone nous a dit que vous lui aviez servi de conseiller historique lorsqu'elle a organisé une reconstitution de la bataille de Worcester au village, mentit Agatha.

– Tiens, vraiment ? Diable, quand était-ce donc ?

« – Je ne sais pas exactement, répondit Agatha, regrettant de ne pas avoir vérifié ce point auprès du recteur.

– Je crains de ne pouvoir vous aider. Je rencontre tellement de gens, s'excusa Peter, en secouant sa tête distinguée.

– Pourquoi avoir prié Mrs Witherspoon de vous vendre sa maison ? demanda Charles.

– C'est un bâtiment intéressant et je suis passionné par le XVIIe siècle.

– Mais elle est d'époque Tudor, non ?

– Les vieux édifices me fascinent, c'est tout.

– Je vous ai déjà posé cette question, intervint Agatha, mais je vous la poserai à nouveau : espériez-vous trouver le trésor de sir Geoffrey Lamont ?

– Je suis certain qu'il a disparu depuis longtemps et que les précédents propriétaires du cottage l'ont fouillé de la cave au grenier.

– Mais pourquoi souhaiter une demeure aussi vaste ?

– Vous voulez dire qu'un célibataire n'a pas besoin de place ? Ma chère Mrs Raisin, je possède une monumentale collection d'ouvrages historiques, fort précieux pour certains, et je suis contraint d'en laisser une bonne partie en garde-meuble, faute d'espace pour les entreposer actuellement. Maintenant, si vous voulez bien m'excuser, j'ai à faire. »

Aucune autre question ne leur venant à l'esprit, ils quittèrent la place à regret.

Ils se garaient à peine devant la maison d'Agatha que Paul accourait à leur rencontre.

« L'enquête est bouclée, leur dit-il. Ils ont arrêté Harry.

— Hein ? Quoi ? Comment ? fit Agatha.

— Il était bien à Hebberdon le soir du meurtre. Le patron du bistrot local, qui l'avait vu, le faisait chanter. Harry a craqué et il est allé trouver la police. On l'a vu s'approcher de la maison juste avant vingt-trois heures cette nuit-là.

— Pourtant les acteurs ont attesté qu'il avait assisté à la réception après le spectacle, fit Agatha, interloquée.

— Oui, mais vous le connaissez, Harry ne brillait pas par ses qualités de boute-en-train. Rien de plus aisé pour lui que de s'éclipser et de revenir sans que personne s'en aperçoive.

— Je suppose que le bistrotier est sous les verrous, dit Charles.

— Ils sont à sa recherche. Il a disparu.

— C'est Haley qui vous a raconté tout ça ?

— Oui, elle était très excitée.

— Entrons », proposa Agatha, après une seconde d'hésitation.

Paul jeta un coup d'œil à Charles et haussa les épaules : « Je vous laisse. J'ai du travail.

— Je croyais que vous aviez pris quelques jours de liberté, plaida Agatha avec un regard implorant.

— Je ne peux pas me permettre d'être perpétuellement en vacances. On se croisera sûrement de temps en temps. »

Et sur ce, il tourna les talons.

« Sans toi, il serait resté, récrimina Agatha.

— Il n'y a rien à espérer de ce côté-là, Aggie. Il est marié.

— Qu'est-ce que tu en sais ? glapit Agatha. Sa femme est en Espagne. Son ménage ne tient qu'à un fil. »

Mrs Davenport, qui flânait en promenant son chien de l'autre côté de la rue, tendait une oreille avide.

Agatha l'aperçut et entraîna Charles à l'intérieur.

« Encore cette horrible bonne femme ! s'exclama-t-elle. Elle passe sa vie à fouiner.

— Tout comme toi, Aggie. Que dirais-tu de prendre un verre ?

— Non. En fait, j'aimerais aller voir Bill. Je ne crois pas que ce soit Harry.

— Si ce n'est pas Harry, pourquoi n'a-t-il pas dit aux policiers qu'il s'était rendu sur les lieux ?

— Il l'a peut-être trouvée morte.

— Il n'avait pas la clef. Peut-être qu'il a juste frappé à la porte et, n'obtenant pas de réponse, est retourné à la réception. En apprenant qu'on l'avait découverte assassinée, il aura paniqué.

— Peut-être, peut-être, peut-être ! Je vais téléphoner à Mircester et voir si Bill est là.

— À ta guise. Moi, je vais boire un coup. »

Après son coup de téléphone, Agatha rejoignit

Charles dans le salon. Elle le trouva assis avec un grand whisky entre les mains et les chats sur les genoux.

« Bill est rentré chez lui. J'y vais. Tu m'accompagnes ?

— Si c'est indispensable. Laisse-moi finir mon verre.

— Pas question !

— Bon, je l'emporte et tu conduis. »

Par bonheur pour eux, ce fut Bill en personne qui leur ouvrit la porte et non l'un de ses redoutables géniteurs.

« Entrez, dit-il, mes parents sont sortis. C'est leur soir de bingo.

— Nous avons appris que Harry a été arrêté, que le patron du bistrot le faisait chanter et qu'il a disparu, mais je ne crois pas que ce soit Harry, et puis il y a eu quelques terribles erreurs.

— Du calme, Agatha ! Cessez le tir ! Qui vous a raconté tout ça ? On n'a encore rien communiqué à la presse. »

Agatha eut soudain l'intuition qu'il ne valait mieux pas impliquer Haley. Cela risquait de peiner Bill et d'attirer des ennuis à Paul.

« Nous avons nos propres sources, esquiva-t-elle.

— Asseyez-vous, fit Bill, impassible. Votre ami Paul Chatterton a invité Haley à déjeuner.

— Oh, Bill, pourquoi se soucier de la manière

dont nous l'avons appris ? Qu'en pensez-vous, vous, personnellement ?

— Son inculpation ne repose que sur des déductions, les expertises scientifiques n'ont produit aucune preuve ; et le seul témoin qui l'incrimine a disparu. Mais Harry hérite de beaucoup d'argent et il a menti à la police. Mrs Barley demande à tout le monde où il se trouvait pendant cette soirée et hop ! on l'assassine. Runcom s'est mis en tête que c'était Harry. Il donne une conférence de presse demain. Mrs Barley a téléphoné à un certain nombre des acteurs. Nous avons contrôlé tous ses appels, environ une vingtaine. Mais il faudrait prendre le problème sous un autre angle : si ce n'est pas Harry, qui cela pourrait-il être ?

— Sa sœur Carol ?

— Je ne pense vraiment pas qu'elle ait eu la force ou le savoir-faire nécessaires pour assener un coup comme celui qui a tué Mrs Witherspoon. D'autre part, Harry a prétendu qu'il ne jouait pas dans *Macbeth* à cause de son rhume des foins. Or il n'y avait aucun médicament antihistaminique chez lui.

— Si l'affaire se limitait à la mort de sa mère, je pourrais, à la rigueur, envisager que ce soit Harry le responsable. Mais cette histoire de cyanure ! Ça ne tient pas debout.

— Si nous arrivons à retrouver Barry Briar, nous y verrons peut-être plus clair.

— Je suppose que la police le cherche partout ?

— Bien sûr.

— Même si Harry est innocent, je ne peux pas croire qu'il n'ait rien à craindre, déclara Agatha. Pas avec un crétin comme Runcom à la tête des opérations.

— Runcom vous a hérissée, Agatha. Il a peut-être des procédés un peu... rugueux, mais c'est un policier consciencieux. »

Agatha marmonna quelque chose qui ressemblait à « Ben voyons ! ».

« Je ne vous ai rien offert, constata Bill. Un peu de sherry ?

— Non merci », répondirent Agatha et Charles en chœur. Ils avaient expérimenté par le passé l'unique apéritif que les Wong réservaient pour leurs visiteurs, une variété de sherry trop sucré particulièrement infâme.

« Le seul conseil que j'ai à vous donner, reprit Bill, et je vous l'ai déjà dit, c'est de rester en dehors de tout ça. Si ce n'est pas Harry, alors pour le moment, le meurtrier va se sentir en sécurité. Si vous continuez à fourrager en tous sens, vous pourriez bien vous mettre en danger. Où est Paul ? Est-ce la présence de Charles qui l'a fait fuir ?

— Pas du tout. Il croit l'enquête terminée, et il est retourné travailler.

— Comment va votre femme, Charles ?

— Ex-femme.

— Oh. Bon, je ne peux rien faire de plus pour vous. »

272

Agatha et Charles s'en furent dîner à Mircester.
À la grande surprise d'Agatha, Charles paya l'addition. En rentrant, Agatha, qui conduisait, lui demanda :

« Tu comptes rester un moment ?

– Pourquoi pas ? Paul ne te mènera nulle part, Aggie. Tu as le don de courir après des hommes qui ne peuvent que te faire souffrir.

– Je ne pensais pas à Paul, répliqua vertueusement Agatha, qui n'avait pas fait grand-chose d'autre de toute la soirée.

– Quoi qu'il en soit, passons déjà une bonne nuit et demain matin, pourquoi ne pas aller à Hebberdon, voir un peu ce que nous pourrons dénicher ? »

À peine endormie, Agatha fit un cauchemar. Elle se vit en train de frotter et nettoyer consciencieusement le souterrain. Elle se débattait contre les épaisses toiles d'araignées qui lui frôlaient le visage. Elle avait l'impression qu'il ne fallait pas continuer à avancer, car quelque chose de terrible la guettait au bout du tunnel. Elle se réveilla en sursaut, le cœur battant la chamade. Quel rêve horrible ! Elle contempla les poutres du plafond d'un œil fixe, en se demandant où le patron du bistrot, Barry Briar, pouvait bien se trouver. Puis elle se demanda pourquoi l'assassin de Mrs Witherspoon – elle ne pouvait toujours pas admettre qu'il s'agissait de Harry – n'avait pas tout simplement dissimulé son corps dans le passage secret. Il aurait pu y rester pendant une éternité, sans que personne le découvre. Ç'aurait été une cachette idéale...

Elle se redressa brusquement. Et si le meurtrier avait également liquidé Barry ? Si ce dernier faisait chanter Harry, pourquoi n'en aurait-il pas fait autant avec d'autres ?

La police s'aviserait-elle de chercher un *cadavre* ? Et quel meilleur endroit pour s'en débarrasser que le souterrain d'une maison déjà fouillée de fond en comble ?

Elle se leva, pénétra dans la chambre d'amis et éveilla Charles d'une secousse. Il alluma sa lampe de chevet et put admirer Agatha Raisin dans toute sa gloire et dans une chemise de nuit noire, d'une étoffe diaphane, qu'elle avait acquise récemment, avec l'espoir inavoué que Paul la verrait dans cette tenue.

« Aggie ! s'exclama Charles avec un sourire malicieux. Bienvenue ! Viens, je t'en prie.

— Charles, écoute ! Je pense que le cadavre du patron du bistrot pourrait se trouver au fond du passage secret.

— Ah bon ? Téléphone donc à Bill demain matin pour le lui signaler.

— Non, je veux aller vérifier tout de suite.

— Eh bien, bonne chasse ! bâilla Charles.

— Et tu m'accompagnes.

— Mais enfin, Aggie ! protesta-t-il en se tordant

le cou pour regarder son réveil. Il est trois heures du matin, sacrebleu !

— Je t'en prie.

— Oh, très bien ! »

Rejetant ses couvertures, il se leva, nu comme un ver, s'étira et alla regarder par la croisée grande ouverte. Mrs Davenport, de l'autre côté de la rue, se terra dans les fourrés, en dévorant des yeux le tableau qui se dessinait, à la lueur de la lampe sous le rebord du toit de chaume. Agatha Raisin en chemise de nuit noire transparente. La fenêtre, trop basse, lui cachait la tête de Charles, mais lui offrait une superbe vue de son torse dénudé.

Tandis qu'il se détournait, Mrs Davenport détala vers le bout de l'allée, la conscience en paix dorénavant. Après avoir écrit à Juanita, elle avait craint d'avoir exagéré. Mais elle venait tout juste d'obtenir la preuve irréfutable de la liaison d'Agatha et de Paul. Dans sa détermination à confondre Agatha, elle balaya la présence de sir Charles chez elle. Il était certainement parti, décréta-t-elle. Mrs Bloxby ne lui avait-elle pas affirmé l'autre jour que sir Charles Fraith n'était rien de plus qu'un vieil ami ?

Si elle avait attendu un instant, elle aurait vu Charles et Agatha émerger de la maison et démarrer.

« Et tout ça parce que tu as fait un cauchemar, bougonna Charles. Je présume que nous pouvons accéder à ce maudit passage par le jardin. Je n'ai pas la moindre envie de jouer les cambrioleurs.

– Oui, c'est faisable. Espérons que la police n'a pas scellé la trappe.

– Aucune raison. Elle n'est pas à eux.

– Roule jusqu'au cottage, ordonna Agatha. Je me moque que l'on nous aperçoive.

– Nous violons une propriété privée, même si c'est seulement le jardin.

– Le propriétaire, c'est Harry, et j'ai son autorisation d'enquêter. C'est ce que je dirai si nous sommes surpris. Tourne ici.

– Effectivement, c'est très isolé, remarqua Charles en coupant le contact. Je me demande bien ce que fabriquait le bistrotier à rôder par là.

– Allons-y et finissons-en. »

Agatha descendit de voiture. La nuit était parfaitement calme. La lune, juste une lueur flottant au-dessus de leur tête, argentait le ciel pommelé. Une brise légère agitait le manteau de lierre du cottage, qui ondoyait et chuchotait.

« Brrr..., murmura Charles. Tu es vraiment sûre de vouloir continuer ?

– Autant aller jusqu'au bout, puisque nous sommes là. Il serait préférable d'enfiler nos gants. »

Ils contournèrent la maison et pénétrèrent dans le jardin.

« Tout au fond, indiqua Agatha. C'est dans cette espèce de bosquet. »

Une chouette, qui les survola, les fit sursauter. Ils

se faufilèrent dans les buissons. Agatha sortit une petite torche qu'elle braqua vers le sol.

« Voilà la trappe, annonça-t-elle.

— Si nous descendons, nous y laisserons des empreintes, avertit Charles.

— Et alors ? S'il n'y a pas de cadavre, ça n'a aucune importance. »

Charles souleva l'abattant.

« Éclaire-moi, dit-il. Il fait si noir là-dedans que je ne distingue pas les marches. »

Agatha dirigea le mince rayon lumineux sur l'escalier, poussa un couinement, lâcha la lampe et se cramponna si violemment à Charles qu'il bascula en arrière dans un grand bruit de branches brisées.

« Enfin, Aggie ! protesta-t-il, que diable... ?

— Des yeux, bégaya Agatha, des yeux, là, en bas.

— Où est passée cette maudite torche ? » grogna Charles en essayant de se remettre sur ses pieds.

Il tâtonna au sol et finit par la retrouver.

« Écarte-toi et laisse-moi voir. »

Charles éclaira le puits noir. Avec une exclamation assourdie, il descendit quelques marches et remonta.

« C'est un cadavre.

— C'est Barry Briar ?

— Je ne sais pas, je ne l'ai jamais vu. Jette un coup d'œil.

— Non, je crois que je vais être malade.

— Ne touche plus à rien. J'appelle la police.

— Il faut vraiment ? Ils vont être furieux.

– Aggie, il y a un mort là-dessous. Nous ne pouvons pas nous en aller comme ça.

– Comment sais-tu qu'il est mort ?

– Quand un homme gît sur le dos, le cou tordu, le regard fixe et vitreux, il y a dix chances contre une pour que ce soit le cas. Sortons de ce bosquet. »

Ils regagnèrent le jardin et s'assirent dans l'herbe. Charles appela la police sur son portable.

Agatha, secouée de frissons, entoura ses genoux de ses bras.

« Les gants, dit-elle quand Charles raccrocha. Cela nous donne l'air de malfaiteurs.

– Je n'ai pas l'intention de retourner là-bas tout exprès pour imprimer mes empreintes digitales sur le couvercle. Ce sont des gants parfaitement ordinaires. Juste ce qu'un homme mettrait pour soulever une trappe sale. Cesse de te tracasser.

– Ils vont se demander comment je savais où était l'entrée.

– Les journaux ont raconté qu'un souterrain menait de la maison au jardin. Tu as eu un éclair de génie, sur quoi nous avons inspecté le terrain et nous avons déniché l'issue. Tu ne veux pas y retourner, juste pour t'assurer que c'est bien le bistrotier disparu ?

– Je ne peux pas.

– Bon, nous serons bientôt fixés. La campagne te ramollit, Aggie. Je suis sûr que la citadine d'autrefois ne tremblerait pas si fort.

— Charles, il m'arrive souvent de douter que tu aies la moindre once de sensibilité.

— Oh, si, j'en ai des tonnes, mais je ne connaissais pas le bistrotier et il me fait l'effet d'un quidam assez peu recommandable. J'entends les sirènes. Ils ne vont pas tarder. Il serait temps que je tire mon avocat de son lit.

— Pourquoi ? Ce n'est pas nous qui l'avons tué.

— Dis ça à Runcom et tu vas voir. "Oh, capitaine, j'ai fait un rêve." Il ne va pas gober ça. »

Ce fut une longue nuit. Agatha, Charles et son avocat mal réveillé patientèrent des heures au commissariat avant qu'on ne les interroge.

Agatha devait passer la première. On finit par venir la chercher. L'avocat se leva pour l'escorter. Ce dernier, dénommé Jellicoe, était un personnage imposant et Agatha était certaine que sans ses interruptions implacables, Runcom l'aurait cuisinée au point qu'elle aurait été presque tentée de s'accuser du meurtre, dans le seul dessein de mettre fin à l'interrogatoire.

Puis ce fut le tour de Charles.

Le soleil matinal inondait le commissariat à travers ses fenêtres poussiéreuses quand il vint la rejoindre, en annonçant :

« Ils vont nous ramener à Hebberdon. »

Tous deux remercièrent l'avocat et se dirigèrent vers la voiture de police qui les attendait dehors, Haley au volant.

« Tiens, Haley ! remarqua Agatha en se glissant sur le siège arrière à côté de Charles.

– Comment va Paul ? s'enquit celle-ci en démarrant.

– Très bien, répondit Agatha. D'après cet horrible Runcom, le corps que nous avons trouvé est bien celui du patron du café.

– Je ne suis pas autorisée à discuter de l'enquête.

– Vraiment ? grinça Agatha. Alors comment se fait-il que vous ayez tout déballé à Paul ? »

La nuque de Haley s'empourpra.

« C'était une conversation privée.

– Aggie, admonesta Charles, nous sommes trop fatigués pour un pugilat. »

Agatha s'abîma dans un silence plein de rancœur et ne se réveilla que lorsqu'Haley freina devant Ivy Cottage. Charles la remercia courtoisement et Haley lui décerna un sourire éblouissant.

« Gourgandine, marmonna Agatha tandis qu'ils regagnaient sa voiture.

– Allons, Aggie, c'est de la jalousie pure et simple ! »

Agatha ignora la remarque et se lova sur le siège du passager.

« Dieu, que je suis fatiguée ! Tout ce que j'espère pour Harry, c'est que la police découvre que Barry Briar faisait chanter quelqu'un d'autre.

– Faisons des vœux et dormons en attendant. »

De retour chez elle, Agatha débrancha le téléphone et la sonnette.

« Je ne veux pas être dérangée, dit-elle, je vais dormir aussi longtemps que possible.

– Je vais préparer le petit déjeuner.

– Débrouille-toi. Moi, je suis trop épuisée pour manger. »

Avant de sombrer dans le sommeil, Agatha se demanda ce que Paul penserait des derniers développements de la situation, tout en souhaitant que Charles se décide à déguerpir.

10

Quand Agatha s'éveilla, midi était largement passé, et sa première pensée fut qu'ils devraient essayer de voir Carol avant de se rendre à Wormstone. Elle se leva et constata que Charles dormait encore. Elle décongela un paquet non identifié qui s'avéra être encore une fois des lasagnes, le passa au micro-ondes et l'avala. Puis elle téléphona à Paul sans obtenir de réponse.

Impatiente de se mettre à l'œuvre, elle alla secouer Charles, avant de se doucher et de s'habiller. En redescendant, elle trouva son hôte dans la cuisine, occupé à jouer avec ses chats : il lançait en l'air une boulette de papier d'aluminium et les regardait bondir pour l'attraper.

Elle contempla la scène depuis la porte, en s'interrogeant pour la centième fois sur les sentiments que Charles pouvait nourrir à son égard. Il arrivait et disparaissait à son gré, demeurant aussi réservé et énigmatique que ses animaux de compagnie.

« Il me semble que nous devrions essayer de voir

Carol pour lui demander des nouvelles de Harry, puis aller faire un tour à Wormstone, lui dit-elle.

– Si tu veux », répondit nonchalamment Charles. Il souleva le couvercle de la poubelle pour y jeter sa boulette et considéra l'emballage de lasagnes.

« Aggie, tu es censée consommer une certaine quantité de fruits et légumes frais par jour. Et toi, tout ce que tu fais, c'est fumer, avaler du café noir et manger des saletés. Ça va te donner des boutons.

– Je suis trop vieille.

– On n'est jamais trop vieux pour avoir des boutons. Ou un cancer.

– C'est toi qui as eu un cancer, pas moi !

– Mais je t'assure que c'est parce que j'ai un mode de vie sain que je m'en suis tiré. Bon, en route ! »

Carol était chez elle. Ses yeux tout gonflés témoignaient qu'elle avait pleuré.

« Pauvre Harry, dit-elle, c'est affreux, vous ne trouvez pas ?

– Il a réellement été inculpé ? demanda Charles.

– Oui, pour le meurtre de maman. Oh, mon Dieu, qu'est-ce que je peux faire ?

– Nous nous en occupons, l'apaisa Agatha. Est-ce qu'il a expliqué les raisons de sa visite à votre mère ce soir-là ?

– Il a dit qu'il se rongeait les sangs à cause de sa situation financière catastrophique et qu'il y était allé sur un coup de tête. Il a voulu voir si elle ne finirait pas par accepter de lui prêter un peu d'argent. Il a dit qu'elle n'avait pas répondu quand il a sonné. Il a cru qu'elle l'avait aperçu par la fenêtre et décidé de ne pas lui ouvrir. Ça n'aurait pas été la première fois. Alors il a rejoint les autres au théâtre.

– C'est bizarre que le portier ne l'ait pas vu sortir et rentrer.

– Freddy était à la soirée lui aussi. On n'avait pas jugé nécessaire de garder la porte, une fois le public parti.

– Vous êtes vraiment sûre que vous ignoriez l'existence de ce passage secret, l'un comme l'autre ?

– Absolument sûre.

– Alors pourquoi montriez-vous tous les deux tant de réticence à nous laisser fouiller la maison ?

– Harry était descendu à la cave et il a dit qu'elle était remplie de vieilleries, de jouets d'autrefois, des choses comme ça. Il espérait que nous pourrions tirer un bon prix de quelques-unes… Il a eu peur que vous en fauchiez », acheva-t-elle en rougissant.

Agatha trouva subitement Harry fort déplaisant. C'est probablement lui l'assassin, pensa-t-elle.

« Il a versé de l'argent à Barry ? questionna Charles.

– Non, mais il lui en a promis pour quand il aurait touché son héritage.

– Combien Barry réclamait-il ?

– Cinquante mille livres.

« — Je me demande quand Barry a été tué, dit Agatha. Voyez-vous, s'il s'avère que cela s'est produit pendant sa détention provisoire, la police sera forcée de le relâcher. Parce que ça prouvera que Barry faisait chanter quelqu'un d'autre.

— Vous pourriez découvrir ça ? fit Carol, une lueur d'espoir dans ses yeux humides.

— Je vais essayer », promit Agatha, pensant à Bill Wong.

« Mais pourquoi Wormstone ? s'enquit Charles en remontant en voiture.

— Je n'aime pas Peter Frampton.

— Alors, pourquoi ne pas aller directement lui cracher au visage ? Il habite Towdey, pas Wormstone.

— Parce que ce n'est qu'une hypothèse : et si Robin Barley lui avait demandé conseil à propos de la guerre civile ?

— Le recteur ne s'en souvenait pas.

— Mais il se peut que quelqu'un se le rappelle au village. Nous n'y resterons pas longtemps. »

Au même moment, Paul Chatterton, à Towdey, cherchait l'adresse de Zena Saxon. Il avait classé sur son ordinateur tout ce qu'Agatha et lui avaient établi. Il était plus ou moins parvenu à la conclusion que Harry était bel et bien le meurtrier, mais il lui semblait qu'il fallait tout de même éclaircir la question de Peter Frampton. Pourquoi s'intéressait-il spécialement à ce cottage ? Et Paul en voulait à Agatha de le délaisser pour Charles.

Il frappa à la porte de la première maison du village. On lui indiqua que Zena habitait un cottage près de l'église. Il fut soulagé d'y discerner de la lumière et fit des vœux pour que Frampton ne soit pas là. Zena lui ouvrit, Paul se présenta et lui dit qu'il l'avait aperçue à la société historique. Elle le toisa d'un œil glacial.

« Vous êtes encore un de ces fouineurs. Qu'est-ce que vous voulez ?

— En fait, répliqua Paul avec le sourire, je souhaitais vous inviter à dîner. »

La vanité et la suspicion se livrèrent un bref combat sur le beau visage de Zena. Elle était maquillée légèrement et portait une simple robe fourreau noire, et Paul dut s'avouer qu'elle était extraordinairement séduisante – et qu'elle en avait parfaitement conscience.

La vanité l'emporta incontestablement.

« J'aimerais bien, répondit-elle prudemment, mais mon copain m'a dit qu'il passerait peut-être. »

— Justement, laissez-le mijoter un peu. »

Paul avait pris soin de revêtir son costume le plus élégant, sa chemise la plus chic et une cravate de soie.

« Vous comptiez m'emmener où ? s'informa Zena.

— Au Beau Gentilhomme.

— Bon, je vais chercher mon sac. J'ai toujours

eu envie d'y aller, mais mon copain dit que c'est trop cher. »

Tandis qu'elle rentrait dans la maison, Paul remercia sa bonne étoile de la radinerie de Peter Frampton. Le Beau Gentilhomme était un nouveau restaurant de Mircester.

« Bon, nous voilà à Wormstone, dit Charles. Par où attaquons-nous ?

– Il y a un bistrot juste en face, le Black Bear. Essayons déjà là. »

La salle était comble. Agatha paya leurs deux consommations au bar. Charles, qui regrettait visiblement la générosité qui l'avait poussé à lui offrir à déjeuner, prétendit qu'il avait oublié son portefeuille. Agatha recula soudain devant l'idée d'aborder un villageois pour le questionner. Je me ramollis, pensa-t-elle.

« Si nous commencions par le petit vieux là-bas, dans le coin », suggéra Charles.

Un gnome tout tordu sirotait une pinte de cidre.

« Bonsoir, dit Charles. On peut se joindre à vous ? »

Le gnome leva sa chope et la vida jusqu'à la dernière goutte.

« J'en prendrais ben une autre, déclara-t-il.

– Agatha, pourrais-tu ? J'ai...

– ... oublié mon portefeuille. Je sais. »

Agatha retourna au bar commander une autre pinte de cidre pour le petit vieux.

« Je te présente Bert Smallbone, lui annonça Charles lorsqu'elle revint. Il était justement en train de me parler de la bataille de Worcester.

– Quand était-ce ?

– En 1651.

– Non, je veux dire, la reconstitution au village.

– La re-quoi ?

– Je veux dire celle que vous avez jouée au village.

– Arf. J'croyais, repartit-il, le pouce pointé vers Charles, qu'y me demandait la vraie.

– Ce que nous voudrions savoir, c'est si Mrs Barley a fait venir un expert – un historien – pour la conseiller.

– Aucune idée. Une sotte, voilà c'qu'elle était. Tout l'temps en train d'piaffer et d'brailler des ordres. J'étais un Cavalier. »

Charles songea que jamais personne n'avait moins eu la mine d'un Cavalier que Bert.

« Mais vous ne savez pas si quelqu'un la conseillait ? » s'impatienta Agatha.

Il secoua la tête.

Agatha en avait assez. Elle se leva à demi.

« Merci de nous avoir accordé un moment, Mr Smallbone.

– J'crois point qu'elle avait b'soin d'un expert, dit Bert. Mme Je-Sais-Tout. L'avait des plans d'bataille, tout pareils comme ceux d'une maison. »

Charles, d'une main énergique, fit rasseoir Agatha.

« J'imagine qu'il n'y a plus aucun de ces plans par ici ? »

Bert repoussa sa casquette graisseuse et se gratta la tête.

« Crois pas. Mrs Barley, c'est elle qui les avait.

— Ah, bien, dit Charles, abandonnant la partie. Merci beaucoup. »

Ils se dirigèrent vers le bar.

« Nous ferions mieux de tenter notre chance avec quelqu'un d'autre, dit Agatha.

— Je ne crois pas. Il n'y a que des hommes ici. Ce qu'il nous faut, c'est une femme. Une pipelette... »

Il se pencha par-dessus le bar.

« Est-ce qu'il y a dans le village une femme qui n'ignore jamais rien de tout ce qui s'y passe ? demanda-t-il au garçon.

— Ben oui ! C'est notre Jenny Feathers tout craché ! s'esclaffa le serveur.

— Et où pouvons-nous la rencontrer ?

— Cinquième porte à votre gauche.

— Merci. »

« Tu cherches quoi, Charles ? Ces plans de bataille ? s'informa Agatha une fois dehors.

— Je me suis dit que s'ils étaient l'œuvre de quelqu'un d'autre, son nom y serait peut-être inscrit. Allons voir cette bonne dame. »

Jenny Feathers était une femme maigre, énergique, la chevelure grisonnante, le nez chaussé de lunettes à verres épais. Agatha laissa la parole à Charles.

« Entrez, entrez », convia-t-elle, en les introduisant dans un petit salon encombré d'une foule de guéridons surchargés de bouquets variés de fleurs séchées, de bibelots de porcelaine et de photographies encadrées.

« Mettez-vous à l'aise. »

Agatha et Charles s'établirent côte à côte sur un canapé de chintz tellement exigu qu'Agatha sentait la hanche de Charles tout contre la sienne. Jenny se percha en face d'eux sur une chaise victorienne en tapisserie.

« Vous vouliez parler de notre reconstitution de la bataille de Worcester ? Un vrai désastre ! Mes pauvres amis, j'étais vraiment navrée pour Robin quand elle est tombée dans cette bouse de vache. Il faisait une chaleur étouffante, voyez-vous, et elle était un peu tyrannique. Pas avec moi, bien sûr, j'étais capable de la remettre en place. Mais d'ailleurs, c'est toujours une question d'éducation, n'est-ce pas, sir Charles ? Nos villageois sont des gens simples.

— Nous nous demandions si Robin Barley avait recouru aux services d'un historien, dit Charles.

— Pour ça, j'en doute vraiment, et de toute façon elle se serait bien gardée de l'avouer. Elle aimait se donner l'air de tout savoir.

— Mais elle disposait de plans de la bataille ou de schémas quelconques, n'est-ce pas ? Nous pensions que quelqu'un pouvait en avoir conservé des exemplaires. »

Jenny secoua la tête. « Elle en avait une brassée, mais elle les a probablement remportés chez elle. Pauvre femme, quelle triste fin ! Mais, voyez-vous, c'était un vrai fléau.

— Avait-elle des liaisons ? demanda Agatha.

— Oh, il y avait beaucoup de passage chez elle. Nous étions tellement habitués à voir des étrangers lui rendre visite... Tenez, cet homme que la police accuse du meurtre : il est venu la voir une fois. »

Harry, se dit Agatha. Encore un clou planté dans son cercueil.

« Vous ne l'avez jamais aperçue en compagnie d'un bel homme, de haute stature, avec des cheveux gris ondulés ?

— Je ne m'en souviens pas », répondit Jenny, en considérant Agatha avec antipathie. Elle mettait un point d'honneur à être au fait des moindres événements du village et cela la vexait d'admettre qu'elle ignorait presque tout de la vie privée de Robin Barley.

« Et quand a eu lieu cette pseudo-bataille ? interrogea Charles.

— Ça doit remonter à il y a quatre ans. »

Ils la remercièrent et prirent congé.

« À mon avis, nous perdons notre temps à suivre la piste Peter Frampton, déclara Charles. Pourquoi aurait-il assassiné trois personnes, tout ça pour une maison et un trésor légendaire ?

« – Je ne sais pas. Une intuition. Quelle heure est-il ?

– Vingt et une heures, à peine. Pourquoi ?

– Combien de temps faut-il pour atteindre Oxford ?

– Je pourrais le faire en trois quarts d'heure. Où veux-tu en venir ?

– Il y a quelqu'un là-bas que je voudrais voir. »

Zena semblait ravie, mais Paul commençait à subodorer que les prix exorbitants de ce restaurant prétentieux représentaient un investissement à fonds perdu. Il avait été désagréablement surpris de découvrir que le « copain » évoqué précédemment ne désignait nullement Peter Frampton, mais un gars du village qui travaillait dans un garage.

« Je pensais que vous étiez en couple avec Peter Frampton, dit-il.

– Mon patron ? C'est juste pour l'amadouer. Il me fait des cadeaux, il s'imagine que je vais l'épouser.

– Et ?

– Non, il est bien trop vieux. »

Paul calcula que Peter Frampton avait très probablement quelques années de moins que lui.

« Vous voyez, reprit Zena avec gravité, je suis un peu féministe, moi.

– Non, je ne vois pas. Quel est le rapport ?

– Eh bien, exposa-t-elle en appuyant ses coudes sur la table, l'idée, vous comprenez, c'est que puisque les hommes exploitent les femmes depuis des siècles, c'est de bonne guerre de tirer d'eux tout ce qu'on peut.

– Vraiment ? Et qu'est-ce que vous tirez de Peter ?

– Des repas comme celui-ci. Des cadeaux. Il m'a donné un collier de diamants à Noël... J'ai raconté à mon copain qu'ils étaient faux, ajouta-t-elle en riant.

– Et Peter, qu'est-ce qu'il reçoit en contrepartie ?

– Des câlineries de temps en temps. Je lui dis qu'il aura tout le reste quand on sera mariés. Ça le laisse sur sa faim.

– Peter Frampton avait très envie, apparemment, de mettre la main sur Ivy Cottage. »

La lumière avait-elle changé ou ses grands yeux s'étaient-ils soudainement voilés ?

« Oh, lui ! il est dingue d'histoire. Il déteste tous ces professeurs et soi-disant chercheurs. Il prétend qu'il est plus calé sur le XVII\ :sup:`e` siècle et la guerre civile qu'eux tous réunis. Mais moi, pour tout vous dire, l'histoire, ça me rase à mort. Quand il dégoise ses salades, moi, je pense à autre chose.

– Est-ce qu'il croyait que le trésor de sir Geoffrey était toujours caché quelque part dans le cottage ?

– Je peux avoir un dessert ?

– Oui, bien sûr. »

Paul fit signe au serveur et attendit avec impatience qu'elle ait fait son choix avant de lui reposer sa question.

« Écoutez, répliqua Zena, visiblement agacée, s'il y a un truc que vous tenez à savoir, adressez-vous à Peter. Vous commencez à m'raser. »

« Bon, alors, qui est le type que nous allons voir ? demanda Charles.

— Tu te souviens de William Dalrymple ?

— Non... Quoique... attends. Ce n'était pas le professeur d'histoire ?

— C'est ça. Nous l'avons rencontré quand nous enquêtions sur la mort de Melissa.

— Ah ! Melissa. Celle avec qui James a eu une aventure avant de disparaître.

— Je n'ai pas envie de parler de ça.

— Bon, pourquoi William Dalrymple ?

— Par curiosité. Je voudrais savoir jusqu'où ces mordus d'histoire peuvent aller, par passion pour leur sujet.

— Tu te demandes si cette passion a pu mener Frampton jusqu'au meurtre ?

— Oui.

— Cela me paraît passablement tiré par les cheveux. Mais je dois admettre que je n'arrive toujours pas à croire que Harry ait tué Robin Barley. Évidemment, nous pouvons avoir affaire à deux assassins distincts.

— Nous verrons de quel avis sera William. »

William Dalrymple était chez lui.

« J'espère que nous ne vous dérangeons pas à une heure trop indue, dit Agatha. Vous nous reconnaissez ?

— Oui, bien sûr. Entrez, je vous prie. »

Il les conduisit dans son salon au premier étage. Il émanait une agréable odeur de cuir des vieux livres reliés qui couvraient les étagères.

« Sherry ? demanda William.

— Avec plaisir », répondit Agatha.

Il disparut et revint avec une carafe de cristal et trois verres.

« Et maintenant, s'enquit-il tout en faisant le service, en quoi puis-je vous être utile ? »

Agatha lui relata en quelques mots les meurtres de Mrs Witherspoon, Barry Briar et Robin Barley, puis lui expliqua pourquoi ils s'intéressaient à Peter Frampton.

« Voyons, où ai-je entendu ce nom déjà ? XVIIe siècle, vous dites ?

— Oui, un bel homme, cheveux gris ondulés, très chic, à la tête d'une affaire de constructions.

— Ah, je crois que je vois de qui vous parlez. Les universitaires peuvent se montrer cruels envers les amateurs. C'était, voyons, il y a quelques années, un de mes collègues l'a invité à dîner à la table des enseignants. Malheureusement, le professeur Andrew Chatsworth, que nous surnommons Chat-Tigre, était là aussi. Or il se considère comme l'autorité ultime sur le XVIIe siècle en général et la période de la guerre civile en particulier. Les

Américains s'embrouillent souvent quand nous parlons de la guerre civile, ils pensent que c'est de la leur, celle du XIXe siècle, qu'il s'agit. Où en étais-je ? Ah oui, Mr Frampton débordait d'enthousiasme et semblait avoir une certaine érudition, au niveau local. Je veux dire par là qu'il avait exhumé quantité d'événements locaux en compulsant les vieux ouvrages d'histoire des villages voisins de Worcester. Il a dit qu'il envisageait de rédiger un livre, une sorte de recueil des faits peu connus du Commonwealth.

– Commonwealth ? questionna Agatha qui se demandait si le gentil professeur était passé au XXe siècle.

– C'est comme ça que l'on appelait le régime de Cromwell, expliqua Charles.

– Je le savais, mentit Agatha.

– Alors, pourquoi demander ?

– Je manifestais simplement un intérêt éclairé », répliqua-t-elle en lui jetant un regard noir.

William s'éclaircit la gorge comme pour s'excuser et reprit :

« Frampton s'enflammait de plus en plus et il mentionna l'histoire d'un officier des Têtes rondes, John Towdey, qui n'avait jamais été publiée. À l'évidence, le nom du village de Towdey vient de celui de cette famille qui possédait le manoir, depuis longtemps démoli. Ce John Towdey s'était épris de la fille de sir Geoffrey alors qu'elle séjournait chez des amis. Naïvement, elle lui révéla que son père s'était réfugié chez Simon Lovesey. Towdey n'eut rien de plus pressé que de le rapporter à l'armée de Cromwell. Lamont fut fait prisonnier et pendu. Sa fille, Priscilla, n'adressa plus jamais la parole à son galant et la rumeur veut qu'elle soit morte le cœur brisé.

» Le professeur Chatsworth lui demanda d'un ton sarcastique s'il avait des preuves de cette histoire. Frampton lui répondit qu'elle s'était transmise oralement de génération en génération. Chatsworth entreprit alors une démolition en règle de Frampton devant toute la tablée. "Vous autres historiens amateurs, vous êtes un danger public à toujours chercher le romanesque, affirma-t-il. Tenez-vous-en aux faits !" Il se mit à dévider toute une liste de sources universitaires, toutes établissant que c'était Lovesey qui avait trahi Lamont. Et il termina en déclarant qu'avec l'imagination qu'il avait, Frampton était fait pour écrire des bluettes historiques. Frampton se leva immédiatement de table et quitta les lieux. Je n'ai jamais vu quelqu'un dans une pareille colère.

» Après son départ, nous fîmes des reproches au professeur, qui éclata de rire et avoua qu'il avait inventé ces références de toutes pièces, mais que Frampton était trop niais et trop novice pour le percevoir. Ce fut une superbe démonstration de méchanceté académique.

– Quelle impression Frampton vous a-t-il faite ? questionna Agatha.

– J'étais tellement désolé pour lui que je ne me suis pas posé la question. Quoique, au début, il m'a bel et bien paru terriblement imbu de lui-même. Mais cela ne justifiait pas un pareil traitement.

– Ce n'est tout de même pas un mobile suffisant pour tuer trois personnes, et d'ailleurs je ne vois pas de lien », constata Charles.

Après s'être entretenus quelques instants de l'enquête, ils prirent congé.

« Encore une impasse », commenta Charles sur le chemin du retour.

Agatha acquiesça d'un grognement, mais tandis qu'ils descendaient la colline de Chipping Norton, elle s'exclama :

« Le journal ! J'avais oublié le journal !

– Celui qui est chez Paul sur une étagère ? Eh bien ?

– Eh bien, suppose, énonça lentement Agatha, que Frampton ait trouvé une trace, soit dans des sources écrites, soit dans la tradition orale, du journal de sir Geoffrey Lamont. Suppose qu'il l'ait cru toujours caché dans un coin de Ivy Cottage et qu'il ait espéré en tirer une preuve de l'amour de la fille de Lamont pour une Tête ronde... En pareil cas, il pouvait être prêt à tout pour y accéder, afin de publier ses trouvailles et d'envoyer le résultat au professeur Chatsworth.

– C'est de la folie. Je veux bien qu'il ait souhaité s'en emparer, mais de là à tuer pour l'obtenir !

Qu'importe, allons voir Paul. Au fait, vous n'avez pas lu le manuscrit ?

— On a tout de suite sauté à la partie concernant le trésor.

— Nous l'examinerons dès notre retour et nous verrons bien s'il y est question de sa fille. Et ensuite ? La police ? Peux-tu imaginer ce que Runcom en ferait ?

— Mais Bill, lui, écouterait, dit Agatha. En fait, ils n'ont jamais vraiment envisagé d'autre coupable que Harry.

— D'accord, allons voir si ton ami Paul est chez lui. »

Paul venait d'arriver. Il avait ramené Zena chez elle et lui avait souhaité bonne nuit en l'embrassant avec plus de fougue qu'il ne sied à un homme marié, quand Peter Frampton avait surgi au volant de sa voiture, dont il avait jailli le visage contracté de rage.

Paul s'était dégagé et avait fui.

Il écouta Agatha et Charles narrer leur incursion dans les bureaux de l'entreprise de Frampton, puis leur visite au professeur d'histoire d'Oxford. Ils lui firent part des supputations d'Agatha – Frampton était-il assez cinglé pour tuer afin de s'emparer du journal ?

Paul alla le prendre sur l'étagère.

« Ça va être long de le lire tout entier, prévint-il. C'est écrit très serré.

– Je vais faire du café, déclara Agatha. Lisez pendant ce temps. »

Elle passa dans la cuisine, jadis si familière. Paul n'avait pas changé grand-chose – pas plus que John, le précédent propriétaire. Avec un soupir, elle dénicha un pot de café soluble et en prépara trois grandes tasses.

Quand elle revint au salon, Charles, effondré sur le divan, somnolait à demi, tandis que Paul lisait avec une extrême concentration. La douce lueur de la lampe au-dessus de sa tête dorait sa chevelure blanche. Agatha eut un coup au cœur. Il était vraiment très séduisant... Si seulement Charles se décidait à aller voir ailleurs.

Enfin, Paul poussa une exclamation.

« J'ai trouvé ! dit-il. Écoutez ça : *Priscilla, ma très chère fille et mon unique enfant, me cause un cruel Tourment. Elle s'est Éprise d'un certain John Towdey, un homme de Cromwell. Je lui ai envoyé un message pour lui interdire de le voir, mais c'est une Enfant Entêtée, et en mon absence, il n'est point impossible qu'elle me Désobéisse.*

– Je me demande vraiment si c'est ce qu'il cherchait, dit Agatha. Je crois que j'irai voir Bill demain.

– Il ne faut pas lui parler du journal, l'avertit Paul. Cela obligerait à expliquer comment nous nous le sommes procuré.

– Je n'en parlerai pas, mais il faut que je dise quelque chose pour orienter Bill vers Frampton.

– Pourquoi ne pas confondre Frampton nous-mêmes ? Bluffer, lui affirmer que nous savons tout ?

– À mon avis, c'est le moment ou jamais de laisser la police s'en occuper. Vous nous accompagnez, demain ? »

Charles abandonna le sofa, s'étira et bâilla :

« Aggie, je suis fatigué. Allons nous coucher. »

Le visage de Paul se durcit.

« Non, répondit-il sèchement à Agatha. J'ai du travail. »

Après leur départ, Paul se disposa à replacer le journal sur l'étagère, puis se ravisa et décida de lui trouver une cachette. Il explora du regard sa cuisine, saisit sur une étagère une boîte métallique marquée « PASTA », y introduisit le manuscrit et enfonça solidement le couvercle.

Contrairement à Agatha, il jugeait inutile de mettre Bill au courant. Ils n'avaient aucune preuve matérielle. L'idée que l'on puisse commettre trois meurtres pour s'emparer d'un vieux grimoire lui paraissait bien saugrenue. Mais Frampton savait peut-être quelque chose. Il en voulait à Agatha de l'avoir poussé sur la touche, estimait-il en oubliant qu'il s'était en réalité exclu lui-même du jeu. Oui, il irait voir Frampton pour discuter d'homme à homme. Frampton était sans doute furieux qu'il ait embrassé Zena, mais il pourrait régler ça aussi.

Bill interrogea Agatha et Charles au commissariat de police le lendemain. Charles se dit sombrement que plus Agatha justifiait ses soupçons, moins ils semblaient crédibles.

Pour finir, Bill secoua la tête.

« Rien de tout cela ne nous permet de le convoquer pour interrogatoire. Quant à aller demander aux voisins de Robin Barley si jamais ils l'ont vu avec elle, pour cela l'autorisation de Runcom est indispensable et il ne la donnera pas. La presse s'est intéressée de trop près à l'affaire après le dernier meurtre ; à présent que Runcom tient un coupable, le voilà débarrassé des journalistes.

– Savez-vous à qui Robin Barley a légué son argent ? s'enquit Agatha. Les journaux ont plus ou moins parlé d'une fille.

– Sa fille, Elizabeth, c'est elle l'héritière.

– Elizabeth comment ?

– Barley. Elle ne s'est jamais mariée.

– Et où habite-t-elle ?

– Agatha ! la rappela à l'ordre Bill. Il est strictement impossible qu'elle ait été mêlée à la mort de sa mère.

– J'avais une autre idée en tête. »

Bill observa Agatha pendant un long moment. Elle était absolument exaspérante. Mais pas plus qu'elle, il ne parvenait à se convaincre de la culpabilité d'Harry. D'ailleurs, par le passé, Agatha avait fait preuve d'un don particulier pour exhumer des faits cruciaux comme par mégarde, en procédant à l'aveuglette.

« Elle habite à Mircester, allée de l'Abbaye. Je ne connais pas le numéro.

– Merci, Bill. »

« Qu'est-ce que tu voulais au juste ? demanda Charles quand ils sortirent.

– Elle détient peut-être quelques-unes des photographies de sa mère.

– Et alors ?

– Eh bien, Peter Frampton pourrait figurer sur l'une d'elles. S'il y a des clichés de la bataille de Worcester à la sauce Wormstone, on le reconnaît peut-être dans l'assistance. Ou bien sa mère pourrait lui en avoir parlé.

– Je suis certain que la police a passé au crible le moindre bout de papier et la plus petite photo trouvés chez Robin.

– Mais sans avoir spécialement à l'esprit Peter Frampton. Continuons jusqu'à l'allée de l'Abbaye, inutile de prendre la voiture. »

Ils se dirigèrent vers l'abbaye et tournèrent dans l'allée, qui longeait tout un côté du massif édifice normand. Un marchand de journaux au coin de la rue leur indiqua qu'Elizabeth Barley habitait au numéro 12. L'allée de l'Abbaye consistait en une rangée de maisons mitoyennes identiques datant du XVIIIe siècle. Agatha sonna au numéro 12. Une femme en tablier leur ouvrit la porte. Son visage très blanc, fané et tiré était encadré de mèches de cheveux pâles, et ses mains étaient rouges et rêches.

« Est-ce que Miss Barley est là ? demanda Agatha.

— Je suis Miss Barley. Qui êtes-vous et que désirez-vous ? »

Agatha déclina leur identité et exposa ce qui les amenait. Elle avait si souvent répété cette entrée en matière que l'écho de sa propre voix lui résonnait aux oreilles.

« Des photos ? Quel genre de photos ?

— Il y a eu une reconstitution de la bataille de Worcester à Wormstone. Nous nous demandions s'il en existait des clichés.

— Je ne sais pas. Elle en avait, des boîtes, à son atelier… J'ignore si la police les a emportées. Je n'ai pas eu le courage d'aller là-bas. Je vais vous donner la clef et vous pourrez voir par vous-mêmes. Juste par sécurité, pourrais-je voir vos papiers ou une quelconque pièce d'identité ? »

Ils lui tendirent cartes et permis de conduire. Elle les examina un instant et les leur rendit. « Je vais chercher la clef. Vous connaissez l'adresse ?

— Oui », répondit Agatha.

Elle rentra dans la maison en les laissant attendre sur le seuil.

« Je me demande ce qu'elle fait dans la vie, ou même si elle fait quelque chose, murmura Agatha.

– Garde-toi bien de lui poser la question. Prenons cette clef et filons. »

Elizabeth revint et leur remit la clef.

« Si je ne suis pas là quand vous la rapporterez, glissez-la simplement dans la boîte à lettres », dit-elle.

Ils la remercièrent et s'éloignèrent d'un pas rapide, car Agatha avait une peur bleue qu'Elizabeth ne se ravise et les rappelle.

« Si l'atelier est toujours sous scellés, nous ne pourrons pas entrer, Aggie.

– Ce n'est pas là qu'elle a été assassinée. Dépêche-toi, Charles. »

Il n'y avait ni scellés ni ruban adhésif de sécurité sur la porte et ils entrèrent sans difficulté.

Des toiles s'entassaient contre les murs, un tableau voilé par un linge reposait encore sur un chevalet. On ne voyait pas trace du capharnaüm habituel des ateliers d'artiste. Couleurs et pinceaux s'alignaient en bon ordre sur un établi propre. Ils attaquèrent leurs recherches. Le coin de l'atelier où Robin avait jadis reçu Agatha était meublé d'un sofa, de chaises et d'une table basse. Dans la partie cuisine, une table ronde et deux chaises. À l'autre bout de l'atelier se trouvait une petite chambre pourvue d'une vaste armoire. Quelques vêtements y étaient suspendus ; visiblement, Robin gardait l'essentiel de ses possessions à Wormstone. Mais deux grandes boîtes en carton étaient entreposées dans le fond. Agatha en ouvrit une : elle était pleine de photographies.

« Bingo ! s'exclama-t-elle. Je prends celle-ci et toi l'autre. »

Ils les emportèrent dans l'atelier et commencèrent à inventorier leur contenu. Au bout d'un moment, Charles se leva pour aller examiner les toiles posées le long du mur.

« Elle peignait d'après cliché, déclara-t-il en reprenant sa place. Ma boîte est pleine de photos des Cotswolds. Je doute que nous trouvions des photos personnelles ici. Nous aurions dû demander la clef de la maison de Wormstone.

– Continue quand même, répondit résolument Agatha. Il y aura peut-être quelque chose. Ah, tout au fond de cette boîte, en voici qui représentent des gens. Elle s'en est probablement servi pour peindre des portraits.

– Tu reconnais quelqu'un ?

– Pas encore. »

Ils persévérèrent jusqu'à ce que Charles conclue en soupirant : « Pas de bataille de Worcester. Pas de Peter Frampton. Retournons voir si l'aimable Elizabeth peut nous faire entrer dans la maison de Wormstone. Je vais reposer les boîtes à leur place. »

Agatha quitta le sofa où elle s'était installée. Elle se sentait déprimée. Son regard tomba sur les toiles. Robin était-elle un bon peintre ? Elle en retourna quelques-unes. Il s'agissait bien de paysages des

Cotswolds, copiés sur les photos avec beaucoup d'exactitude, habiles, mais sans vie. Au bout d'un instant, elle mit la main sur un portrait de femme.

« Qu'est-ce que tu fais ? demanda Charles.

— Je cherche un portrait de Peter Frampton.

— Oh, Aggie, tout cela commence à m'ennuyer sérieusement. Ce type est probablement innocent. »

Sans lui prêter attention, Agatha continua à examiner les toiles. Et soudain : « Tiens, tiens, tiens ! Viens voir ça. »

Elle souleva un grand tableau et le retourna vers Charles. C'était un portrait de Peter Frampton vêtu en tout et pour tout d'un casque de chantier. Il était assez maladroit, mais néanmoins bien reconnaissable.

« Nous le tenons ! triompha Agatha.

— Et maintenant ? Nous allons lui réclamer des explications sur-le-champ ?

— Jamais de la vie ! J'ai décidé de ne plus jamais m'attaquer directement à des assassins. C'est trop dangereux. Nous mettons Bill au courant et nous laissons la police prendre la suite des opérations. »

Paul était perplexe. Il était allé trouver Peter Frampton à ses bureaux et l'avait directement entrepris sur le journal. Peter avait tout bonnement éclaté de rire, en déclarant qu'il fallait être fou pour s'imaginer quiconque commettre trois assassinats pour un vieux bouquin. Paul lui avait révélé qu'il détenait ledit journal, dans l'espoir qu'il se trahirait. Mais Frampton était resté de marbre, et il se montrait si détendu, si affable que Paul commençait à se sentir ridicule.

« Bon, puisque vous êtes là, venez, je vous offre la visite guidée.

– Il serait grand temps que je rentre.

– Oh, allons, je suis très fier de ce que j'ai créé ici. Au fait, où est-il, ce mystérieux journal ?

– Chez moi, à Carsely.

– Et comment l'avez-vous trouvé ?

– Astuces de détective, répondit Paul vaguement.

– Ah, vous autres, les détectives amateurs ! »

Il fit traverser à Paul des hangars pleins de briques, des hangars pleins de sacs de ciment, des hangars pleins de machines – visite parfaitement barbante, commenta Paul pour lui-même.

« Il faut vraiment que je m'en aille, dit celui-ci. Merci de m'avoir accordé un moment.

– Il y a juste un endroit encore que je voudrais vous montrer, c'est celui où j'ai entreposé tous les livres d'histoire que je n'ai pas pu caser chez moi. Vous n'en reviendrez pas de tout ce que j'ai pu amasser. »

Autant voir ça, pensa Paul. Il pourrait y avoir quelque chose.

Frampton ouvrait la voie d'un pas énergique. Ils arrivaient à la lisière du terrain et il n'y avait plus aucune construction en vue. Les bâtiments principaux paraissaient à des lieues de distance. Frampton s'arrêta brusquement.

« C'est là-dessous.

– Où ça ? »

Frampton se mit à rire.

« Vous ne voyez rien, n'est-ce pas ? C'est un ancien abri Anderson de la Seconde Guerre mondiale. »

Il tendit l'index. En s'approchant, Paul distingua des marches qui s'enfonçaient dans le sol. À la surface, l'abri était entièrement recouvert d'herbes folles et de plantes sauvages.

« Zut, j'ai un caillou dans ma chaussure. Allez-y, je vous rejoins. »

Paul descendit l'escalier et poussa la porte. L'intérieur était plongé dans les ténèbres les plus épaisses. Il avança de quelques pas, cherchant à tâtons un bouton électrique. Le battant claqua dans son dos. Il fit volte-face et se jeta dessus juste à temps pour entendre une barre métallique retomber à l'extérieur.

« Vous resterez là jusqu'à ce que vous soyez devenu raisonnable. »

La voix de Frampton lui parvenait faiblement à travers la porte. « Je reviendrai tous les jours et si vous me dites où est ce journal, je vous laisserai sortir. Quand vous aurez passé vingt-quatre heures là-dedans, vous serez tout disposé à parler. »

Paul martela le battant et hurla jusqu'à l'épuisement. Puis il fit à tâtons le tour de sa prison jusqu'à ce qu'il perçoive sous sa main la forme d'une bougie. Il se rappela qu'il avait ramassé une boîte d'allumettes au restaurant français. Il portait son costume le plus élégant, justement celui du soir précédent. Il retrouva la boîte dans sa poche et réussit à allumer le lumignon. Un banc courait tout du long des parois. Il était trop jeune pour avoir connu les abris Anderson, mais il se souvint d'un documentaire sur la guerre. Il y avait sans doute eu des maisons ici autrefois. On creusait généralement les abris au fond d'un jardin, l'idée étant qu'ils soient invisibles depuis les airs. Il s'effondra sur le banc. Il allait être contraint de révéler à Frampton l'endroit où il avait caché le journal. Il deviendrait fou s'il devait croupir dans ce cachot pendant des jours.

Tard dans l'après-midi, Bill passa au chantier avec deux policiers. On lui dit que Mr Frampton était rentré chez lui. Mais quand ils sonnèrent au cottage, personne ne répondit.

« Paul n'est toujours pas rentré, s'inquiéta Agatha. À ton avis, faut-il aller récupérer le journal chez lui ?

— On ne peut pas entrer par effraction.

— J'ai toujours la clef. La serrure n'a pas été changée depuis l'époque de James.

— D'accord, acquiesça Charles. Ce sera toujours mieux que de rester ici à ne rien faire. »

Ils gagnèrent le cottage voisin.

« Sa décapotable n'est pas là », remarqua Agatha.

Sitôt entré, Charles alla droit à l'étagère.

« Disparu ! s'exclama-t-il. Cet ahuri l'a peut-être emporté.

– Ça m'étonnerait. Cherche bien. »

Ils passèrent en revue tous les livres et vérifièrent derrière chaque rangée. Ils inspectèrent les tiroirs de son bureau.

« Je vais voir là-haut, décida Charles. Et toi, dans la cuisine.

– Dans la cuisine ?

– Les gens ont toujours l'air de s'imaginer que c'est un endroit sûr. Une de mes grand-tantes cachait son collier de diamants dans une poche de petits pois surgelés. »

Agatha élimina d'emblée le congélateur et le frigidaire. Paul n'aurait certainement pas eu la sottise d'y dissimuler un précieux journal ancien. Elle chercha derrière les conserves et les paquets d'épicerie, dans la poubelle et derrière les assiettes du vaisselier. Elle se rappela qu'un jour, elle y avait saisi des assiettes pour les fracasser au sol, dans un accès de rage, lors d'une de ses disputes avec James. Elle s'assit devant la table, soudain déchirée par ces souvenirs. Reverrait-elle jamais James ? Les larmes lui brouillèrent les yeux et elle les essuya avec colère. Elle s'aperçut qu'elle faisait face à une série de boîtes métalliques bien alignées sur le bas du vaisselier : sucre, café, farine, pâtes.

Elle se leva et commença à soulever les couvercles. Dans la boîte à pâtes, elle trouva le journal.

« Je l'ai ! » cria-t-elle, du pied de l'escalier.

Charles redescendit de son pas rapide et léger.

« Bravo, gardons-le jusqu'au retour de Paul.

– Si jamais la police s'aperçoit qu'il est entre nos mains, nous serons dans de très sales draps », remarqua Agatha.

Ils retournèrent chez elle. Le village était calme et silencieux. C'est ma dernière enquête, se jura Agatha. Se priver de cette tranquillité, de cette sérénité pour toutes ces histoires – c'est ridicule.

« À quoi penses-tu ? s'enquit Charles tandis qu'ils se rendaient à la cuisine et caressaient les chats.

– J'étais juste en train de me dire que je pourrais mener une vie si agréable et si paisible, ici, si je laissais la police se débrouiller seule à l'avenir, répondit-elle.

– Tu deviendrais folle d'ennui. Tu n'as jamais envie de retourner à Londres ?

– Je ne m'y sens plus à ma place. Je ne reconnais plus la ville.

– Et ouvrir une agence de détectives ?

– On me l'a déjà demandé. Pour retrouver les chats perdus et m'occuper de divorces qui se passent mal.

– Ce serait peut-être mieux tout de même que de rester à ne rien faire.

– Je ne resterais pas à ne rien faire, protesta

Agatha. Je ferais comme Mrs Bloxby, je me consacrerais à des œuvres charitables.

– Tu n'es pas et ne seras jamais Mrs Bloxby.

– Oh, bien sûr, c'est une sainte et je ne serai jamais à sa hauteur ?

– Ne nous disputons pas, Agatha, allons plutôt dîner quelque part. Bill nous contactera si jamais il apprend quelque chose. »

Le dîner se passa fort agréablement.

Je suis contente que Charles soit revenu dans ma vie, se prit à penser Agatha. J'ai été idiote à propos de Paul. Mais Charles ne resterait pas longtemps. Il ne s'attardait jamais. Elle se demandait souvent ce qu'elle pouvait représenter pour lui.

De retour chez elle, elle tenta d'appeler Paul, mais il n'y eut pas de réponse. Elle ferma la maison pour la nuit, après quoi Charles et elle se retirèrent dans leurs chambres respectives. Il faisait humide et chaud. Agatha se tournait et se retournait dans son lit, en proie à une soudaine inquiétude. Où Paul avait-il bien pu aller ?

Elle gémit et finit par se lever. Elle allait juste jeter un coup d'œil par la porte d'entrée et voir si sa voiture était dehors. Tout à l'heure, au début de la soirée, la vieille guimbarde qu'il avait achetée était là mais il manquait la décapotable.

Agatha débrancha l'alarme et déverrouilla la porte. Elle consulta sa montre. Une heure. La décapotable de Paul était garée devant son cottage. Ouf ! Il était donc sain et sauf.

Elle se figea à l'instant même où elle allait fermer la porte. Il y avait quelque chose d'insolite. Elle ouvrit tout grand, sortit sur le perron et scruta la maison. Soudain, elle discerna une lueur vacillante, derrière l'une des fenêtres du rez-de-chaussée. Cela ressemblait à la lumière d'une petite lampe électrique. Paul ne s'amuserait certainement pas à déambuler chez lui avec une torche.

Elle referma sans bruit et monta l'escalier quatre à quatre pour réveiller Charles.

« Qu'est-ce qu'il y a ? grogna-t-il. Je venais juste de m'endormir. Il fait trop chaud dans ce cottage. Pourquoi ne fais-tu pas installer la climatisation ?

— Écoute ! La voiture de sport de Paul est garée devant chez lui, mais il y a quelqu'un qui se promène avec une torche dans la maison. Ce n'est sûrement pas Paul. »

Charles se leva et s'habilla précipitamment.

« Attends ici, je vais me faufiler discrètement là-bas et jeter un coup d'œil. »

Agatha retourna s'habiller dans sa chambre. Peut-être y avait-il une coupure d'électricité chez Paul. Elle descendit retrouver Charles qui rentrait.

« C'est la pleine lune, dit-il. Je me suis mis à genoux, et j'ai coulé un œil par la fenêtre de devant. C'est Frampton !

— Oh mon Dieu ! Qu'est-ce qu'il a fait de Paul ?

— Appelle Bill. S'il a déjà tué trois personnes, il n'hésitera pas à nous liquider aussi. »

Agatha téléphona chez Bill, qui répondit lui-

315

même. Agatha se félicita de ne pas avoir à donner d'explications à sa mère. Elle le prévint que Frampton était chez Paul.

« Tenez bon. Nous arrivons aussi vite que possible. »

« Prenons un verre, suggéra Charles quand elle raccrocha. Tout ce que nous pouvons faire maintenant, c'est attendre. Même s'il est parti quand la police arrivera, il faudra bien qu'il explique pourquoi il conduisait la voiture de Paul et ce qu'il faisait chez lui.

– Ce n'était peut-être pas lui qui conduisait, objecta Agatha, avec un frisson. Il a pu contraindre Paul à prendre le volant. »

Charles les servit et ils attendirent anxieusement. Une demi-heure passa.

« Tu as bien reverrouillé la porte ? demanda tout à coup Charles.

– Non, j'ai oublié, j'étais trop bouleversée, répondit Agatha. J'y vais tout de suite. »

Au moment où elle se levait, la porte du salon s'ouvrit et livra passage à Peter Frampton, un petit revolver à la main.

« Le journal, gronda-t-il. Où est-il ?

– Quel journal ? demanda Charles.

– Ne me faites pas perdre mon temps. »

Les pupilles de Frampton n'étaient pas plus larges que des têtes d'épingle. Agatha jugea qu'il devait avoir pris de la drogue.

« Vous ne pouvez pas nous tuer comme ça, dit-

316

elle, vous avez déjà assassiné trois personnes. Et d'ailleurs, pourquoi avoir élaboré des plans aussi compliqués quand vous pouviez tout simplement leur tirer dessus ? »

Il lui sembla que l'on avait bougé dehors. Bill ?

« Le premier, répondit calmement Frampton, était censé passer pour un accident. J'étais au courant de l'existence du souterrain, j'ai pensé que je pourrais terrifier la vieille suffisamment pour qu'elle décampe, mais elle n'a pas voulu déguerpir. Ensuite, cette chère Robin m'a téléphoné. J'avais eu une liaison avec elle. Elle ne savait rien du tout, mais elle laissait entendre qu'elle toucherait un mot à la police de mon "obsession", comme elle disait, pour ce journal. Il fallait donc qu'elle disparaisse. Et juste quand je me croyais tranquille, voilà que cet imbécile de Briar s'avise de me faire chanter. Il se promenait dans les champs avec son chien la nuit où j'étais à Ivy Cottage et il prétendait m'avoir vu en repartir. Et maintenant, le journal, et que ça saute !

– Je ne sais pas de quoi vous parlez, répondit Agatha d'une voix forte.

– Le journal de sir Geoffrey Lamont. J'ai lu, dans un manuscrit ancien que, avant de mourir, il avait confié à un de ses compagnons de prison qu'il l'avait caché à Ivy Cottage. Si je l'avais, je publierais mes découvertes et je me ferais un nom sur la scène historique. J'en ai besoin. Allez le chercher. Ce vieux croûton de professeur va voir

317

ce qu'il va voir ! Je ne me laisse humilier par personne, moi. Je vais commencer par vous mettre une balle dans chaque genou et je continuerai jusqu'à ce que l'un de vous deux flanche. »

La porte s'ouvrit sous une violente poussée. Bill apparut, flanqué de deux policiers armés.

« Lâchez votre arme et allongez-vous au sol ! » ordonna-t-il.

Frampton regarda son revolver, puis, vif comme l'éclair, l'appuya sur sa tempe et tira.

Agatha, livide et tremblant de tous ses membres, le vit s'abattre sur le sol. Charles passa un bras autour de ses épaules et l'entraîna hors de la pièce. Bill sortit son portable, composa un numéro et commença à donner une série d'instructions rapides.

Ils attendirent dans la cuisine. L'équipe médico-légale arriva, suivie par Runcom et Evans et enfin par le médecin légiste de la police.

Runcom, escorté d'Evans, vint les rejoindre dans la cuisine. Ils firent leur déposition : ils avaient surpris l'éclat d'une lampe torche chez Paul ; Charles, parti se rendre compte, avait identifié Frampton et là-dessus, ils avaient averti Bill.

Runcom les observait d'un œil soupçonneux.

« L'inspecteur Wong a entendu Frampton s'accuser des trois meurtres. Apparemment, il voulait mettre la main sur un vieux journal intime. Il pensait que vous l'aviez. Est-il en votre possession ?

– Non », répondit Agatha. En reconnaissant les faits, elle s'exposerait à des poursuites pour obstruction à une enquête policière et il faudrait qu'elle explique comment elle se l'était procuré.

« Sir Charles ?

– Je n'ai rien compris à ses divagations.

– Alors vous ne voyez pas d'inconvénients à ce que nous fouillions le cottage ? Sinon, je reviendrai avec un mandat de perquisition. »

Charles éprouva une pointe d'inquiétude. Il ignorait où Agatha avait dissimulé le journal.

« Faites, répondit Agatha. Mais il faut que nous retrouvions Paul.

– Vous ne bougerez pas d'ici tant que nous n'aurons pas terminé. »

Charles et Agatha restèrent serrés l'un contre l'autre à la table de la cuisine.

« Où l'as-tu fourré ? demanda Charles tout bas.

– Quelque part où ils ne risquent pas de le trouver.

– Aggie, ils vont retourner jusqu'aux pots de fleurs.

– Chut, voilà Bill. »

Bill vint s'asseoir près d'eux.

« Nous avons pincé notre assassin grâce à vous, Agatha. Mais qu'est-ce que c'est que cette histoire de journal ? Et qu'est-ce qui vous a mise sur la piste de Frampton ?

– L'intuition féminine. Il m'a toujours été antipathique. Et quand nous avons trouvé son portrait dans l'atelier de Robin, nous avons compris qu'il avait menti en prétendant qu'il ne l'avait jamais rencontrée.

– Ils ne vont pas tarder à venir vérifier que son fameux journal n'est pas dans la cuisine.

– Il était complètement fou, affirma Agatha. Il était obsédé par Dieu sait quel vieux grimoire. Nous sommes allés voir un historien d'Oxford. »

Et elle lui conta l'humiliation infligée à Frampton par le professeur.

« Et vous êtes bien sûre de ne pas avoir ce journal ?

« Parfaitement sûre.

– Si vous le dites. Naturellement, je ne serais pas du tout surpris que Paul et vous ayez découvert le passage secret et, d'une manière ou d'une autre, le manuscrit. »

Les policiers entrèrent dans la cuisine et entamèrent leurs recherches.

Agatha ressentit soudain le contrecoup du choc précédent. Elle déclara : « Je vais me coucher. Vous savez où me trouver. »

Charles la suivit à l'étage. Sur le palier, il questionna : « Où donc… », mais Agatha lui plaqua la main sur la bouche pour le faire taire, et lui enjoignit d'aller dormir.

Elle se recroquevilla sous sa couette, tout habillée, frissonnante malgré la chaleur de la nuit. Elle s'assoupit immédiatement et fut réveillée deux heures plus tard par Bill qui la secouait par l'épaule.

« Ils n'ont rien trouvé, dit-il. Vous l'avez rudement bien caché.

– Je ne sais pas de quoi vous parlez, répliqua Agatha en se redressant avec difficulté.

– Vous devez vous présenter tous les deux au commissariat demain matin et nous vérifierons vos dépositions.

– D'accord. Mais pour le moment, disparaissez ! » gémit-elle.

Toutefois, quand Bill fut sorti, elle resta éveillée, l'oreille tendue, jusqu'à ce qu'elle ait entendu toutes les voitures démarrer, puis elle descendit. Elle grimaça de colère devant le chaos qui régnait dans la cuisine. On avait même fendu un sac de farine – le fait qu'il traînait depuis deux ans sur l'étagère, en attendant qu'une subite inspiration la transforme en pâtissière hors pair, n'atténua nullement sa fureur.

Elle se retourna en entendant Charles entrer dans la cuisine.

« Quel massacre ! s'exclama-t-il. Où est le journal ?

– Remontons, je vais te montrer. »

Agatha entra dans sa chambre et s'approcha de sa coiffeuse. Une écritoire de voyage ancienne, où elle rangeait ses quelques bijoux et les rares lettres reçues autrefois de James, y était posée.

« Il y a un tiroir secret, expliqua-t-elle. J'ai acheté ce coffret sur un coup de tête au marché des antiquaires d'Oxford, celui qui est fermé maintenant.

Regarde ! » prévint-elle en promenant ses doigts à l'arrière. Elle retourna l'objet. Un petit tiroir s'était ouvert ; il contenait le journal.

« Qu'allons-nous en faire ? »

Agatha referma le tiroir.

« Toi, je ne sais pas, mais moi, j'ai besoin de sommeil et ensuite je trouverai bien une idée. »

Mais tout à coup, elle se cacha le visage dans les mains.

« Charles ! Et Paul ! Nous l'avons complètement oublié ! Qu'est-ce qui a bien pu lui arriver ? »

11

Paul était assis dans le noir au fond de l'abri. Il avait essayé de crier et de hurler, mais cela n'avait fait que l'épuiser et le convaincre de son impuissance. Il pensa à sa femme, Juanita. Pourquoi diable s'était-il entêté à rester dans les Cotswolds ? Pourquoi n'était-il pas parti à Madrid ? Tout cela était de la faute d'Agatha, cette idiote qui multipliait les gaffes.

Il se demanda s'il ne devrait pas s'efforcer de prier. Il ne croyait pas en Dieu, n'y avait jamais cru. Mais il avait entendu dire un jour que sur un champ de bataille, il n'y a plus d'incroyants. Il pouvait toujours tenter le coup. Il tomba à genoux sur le sol de terre battue et supplia le Ciel d'envoyer quelqu'un le délivrer.

En se relevant, il perçut un lointain écho de sirènes de police et fut envahi par une sorte de crainte religieuse. Juanita était une catholique dévote. Il ne se moquerait plus de sa foi. Ils se rendraient ensemble à la messe, auraient des enfants, une vie conjugale dans les règles. Il attendit, attendit. Puis il se jeta sur la porte et se remit à crier et hurler.

Personne ne vint.

Agatha appela Bill au commissariat et l'écouta avec anxiété expliquer qu'ils avaient passé tout le site au peigne fin, puis avaient minutieusement fouillé le cottage de Frampton, sans trouver trace de Paul. Zena et les ouvriers se souvenaient de l'avoir aperçu sur place, mais personne ne l'avait vu partir. Agatha raccrocha et répéta le tout à Charles.

« Allons-y, déclara Charles. Nous trouverons peut-être un indice qui leur a échappé. »

Mais quand ils arrivèrent au siège de l'entreprise, ce fut pour découvrir que tout avait été fermé après le départ de la police. Un gardien solitaire les informa que les ouvriers avaient décidé de rentrer chez eux jusqu'à ce qu'on leur dise si l'administrateur des biens de Frampton leur paierait leur salaire.

Agatha demanda à inspecter les bâtiments. Il allait refuser, mais se ravisa lorsque Agatha lui agita un billet de cinquante livres sous le nez. Ils examinèrent donc les entrepôts, guettant les détails que les policiers auraient pu manquer, mais avec de moins en moins d'espoir.

La journée était ensoleillée et brûlante, une brume de chaleur voilait les champs proches du chantier. Ils remercièrent le vigile et restèrent un instant sur place à se concerter.

« S'il a voulu se débarrasser de Paul, réfléchit Agatha, il aura certainement choisi un endroit où il ne risquait pas d'être vu. Faisons le tour du terrain en longeant la clôture – par là, par exemple.

– Mais Aggie, il n'y a rien là, que de l'herbe et des broussailles.

– Viens quand même. Il pourrait y avoir un cadavre caché dans cette jungle.

– Bang ! bang ! Vous êtes morts ! » piailla une petite voix et Agatha porta la main à son cœur. Un garçonnet haut comme trois pommes émergea des hautes herbes, suivi d'un autre. Tous deux étaient coiffés d'un chapeau de cow-boy miniature et brandissaient des revolvers en plastique.

« Fichez-moi le camp ! » gronda Agatha.

Les enfants la jaugèrent, pas le moins du monde impressionnés. Ils avaient tous deux des figures blanchâtres et boutonneuses et des regards calculateurs. Pourquoi les gens font-ils toujours tout un plat de l'innocence enfantine ? se demanda Agatha.

« Vous avez des bonbons ? requit l'un d'eux.

– Ouste ! Du balai !

– Si vous nous donnez des bonbons, nous vous montrerons la maison du fantôme. »

Agatha eut envie de cogner leurs deux caboches l'une contre l'autre, mais Charles questionna : « Quel fantôme ?

325

– D'abord les bonbons », répondirent-ils en chœur.

Charles leur tendit une pièce d'une livre : « Alors ? »

Ils se regardèrent et secouèrent solennellement la tête.

« C'est pas assez, déclara le plus boutonneux des deux.

– C'est bon, tenez ! » capitula Agatha, exaspérée, en leur tendant un billet de cinq livres. Tout ce qui pouvait les mettre sur la trace de Paul valait son pesant d'or.

« Ça va. Venez. »

Ils suivirent les enfants jusqu'à un petit tertre herbu près de la palissade.

« Il habite là-dedans, dit le boutonneux. On l'entend qui hurle et qui gémit. » Agatha fit le tour de la butte et découvrit les marches qui conduisaient sous terre. « C'est un vieil abri antiaérien », cria-t-elle, tout excitée, à Charles. Il la suivit dans l'escalier et l'aida à soulever la lourde barre de fer qui condamnait la porte.

Elle s'ouvrit d'un seul coup, la lumière du soleil inonda la pièce, révélant une forme humaine qui gisait par terre, recroquevillée.

« Paul ! s'écria Agatha. Dieu merci, vous voilà ! »

Paul pleurait de terreur et de désespoir. Il se releva, furieux de sa faiblesse, et déversa tout son venin sur Agatha.

« Ne m'approchez pas, espèce de vieille timbrée !

hurla-t-il. Si vous ne m'aviez pas embarqué dans votre enquête débile, ça ne serait jamais arrivé. »

Écœurée, Agatha se détourna. Puis elle lui fit de nouveau face.

« Asseyez-vous, espèce d'abruti, et bouclez-la. Vous n'irez nulle part avant que la police et une ambulance n'arrivent. »

Sortant son portable, elle passa un appel d'urgence. Puis elle remonta à la surface et alluma une cigarette. Charles demeura dans l'abri, dominant de toute sa haute taille Paul, assis sur le banc, la tête basse.

« La police est venue ce matin, dit-il benoîtement. Ils ont fouillé tout le chantier d'un bout à l'autre. Sans nous deux, vous seriez resté à pourrir là-dedans.

— Où est Frampton ? croassa Paul.

— Mort. Il s'est tiré une balle dans la tête. Il nous menaçait, Aggie et moi, avec un revolver. Il s'est suicidé à l'arrivée de la police.

— Avez-vous de l'eau ?

— Non, mais l'ambulance ne va pas tarder. »

Charles alla rejoindre Agatha.

« Ne prends pas ça trop à cœur, dit-il. Ce gars est en état de choc. »

Agatha haussa les épaules et tira énergiquement sur sa cigarette. Pourquoi les choses ne se déroulaient-elles jamais comme elle l'avait imaginé ? Sur le chemin du chantier, elle avait caressé le rêve de retrouver Paul, un Paul tellement reconnaissant qu'il la serrerait aussitôt dans ses bras en la demandant en mariage. Ce n'était que lorsqu'ils avaient commencé à fouiller les entrepôts qu'elle avait redouté qu'il ne soit mort. Pourquoi diable un assassin endurci comme Frampton l'aurait-il laissé en vie ? Mais pour mettre la main sur le manuscrit, bien sûr !

Elle pivota brusquement sur elle-même et replongea dans l'abri. « Écoutez-moi, dit-elle, pour l'amour du Ciel, pas un mot de ce satané journal, ou nous serons tous dans de sales draps.

— D'accord, marmonna Paul sans relever la tête.

— Officiellement, Charles et moi avons trouvé un portrait de Frampton dans l'atelier de Robin. Nous vous avons téléphoné et vous êtes venu ici pour cuisiner Frampton, qui vous a enfermé le temps de décider ce qu'il ferait de vous.

— D'accord ! cria Paul.

— Ils arrivent, signala Charles de l'extérieur. Je vais au-devant d'eux pour les guider. »

Une fois Paul évacué vers l'hôpital, Agatha et Charles durent affronter les foudres de Runcom.

« Vous étiez censés venir tous les deux aujourd'hui au commissariat pour vérifier vos déclarations.

— Eh bien, répliqua Agatha, nous n'avons pas pu y aller, parce que nous étions en train de faire le boulot à votre place. Sans nous, vous auriez eu un cadavre de plus sur les bras.

— Vous allez immédiatement à Mircester avec l'inspecteur Wong qui prendra vos dépositions. »

Bill remonta de l'abri à ce moment. « Bon travail », commenta-t-il, ce qui lui valut un coup d'œil furibond de son supérieur.

Au commissariat, Agatha et Charles ajoutèrent le compte rendu de leurs efforts pour retrouver Paul à leurs déclarations précédentes. Agatha sentait le regard perçant de Bill rivé sur son visage pendant qu'elle parlait, et elle s'attendait presque à ce que des effets spéciaux fassent soudain apparaître au-dessus de sa tête un pictogramme du journal accusateur.

Enfin Bill coupa le magnétophone et leur dit de patienter pendant que l'on saisissait leurs dépositions sur ordinateur.

« Il ne faut pas trop en vouloir à Paul, plaida Charles. Ce devait être cauchemardesque d'être enfermé là-dedans.

— Il a dit que j'étais vieille, marmonna Agatha. Je ne le lui pardonnerai jamais.

— Oh, allons, allons !

— La miséricorde est un attribut divin et je n'ai rien d'une divinité. Je veux rentrer à la maison et dormir pendant une semaine. J'ai passé un coup de fil à Doris Simpson avant de partir et elle m'a promis de tout remettre en ordre. Je lui donnerai une bonne gratification.

— Pourquoi ? Tu la paies déjà pour faire le ménage.

— Parce que, vilain radin, l'intervention qu'exige

le foutoir qu'ils ont semé chez moi excède largement le cadre de ses fonctions.

– Je pense que nous devrions faire un détour
par chez Mrs Bloxby quand nous sortirons de là.

– Pourquoi ?

– Parce que c'est une amie. Elle doit s'inquiéter
pour toi. »

Signer les dépositions prit un temps infini et
ce ne fut que deux heures plus tard qu'Agatha et
Charles, installés dans le paisible jardin du presbytère, purent détailler leurs aventures à Mrs Bloxby.

« Qu'allez-vous faire du journal ? s'enquit-elle,
lorsqu'ils eurent terminé.

– Je viens d'imaginer une solution, répondit
Agatha. Nous allons le porter à William Dalrymple,
ce professeur d'histoire d'Oxford, que j'ai rencontré lors d'une autre enquête. Nous lui raconterons
tout, et on verra s'il peut nous aider, par exemple
en déclarant qu'il l'a trouvé dans un carton de
la bibliothèque de l'université ou quelque chose
comme ça. Je serais contente d'en être débarrassée.
Où est votre cher époux ?

– Parti voir l'évêque.

– Pas de problème, j'espère ?

– Non, au contraire, il s'agit d'une bonne nouvelle. L'évêque a reçu de l'argent de la commis-
sion des Loteries pour la restauration des églises
anciennes, et on nous en a alloué une partie pour
le toit de la nôtre. Ça me fait penser... l'un de

nos paroissiens a donné des truites à Alf. Restez donc dîner. »

Charles, qui savait quelles horreurs le congélateur d'Agatha recélait, s'empressa d'accepter.

« Je me demande si la presse nous attend sur le seuil de la porte, spécula Agatha un peu plus tard, alors qu'ils regagnaient à pied son cottage.

— M'étonnerait, répliqua Charles. Runcom s'arrangera pour attribuer tout le succès à la police et te passer sous silence.

— Tous les journalistes doivent se masser devant le commissariat de Mircester, répondit Agatha, pensivement. Ce serait amusant d'aller y faire un tour et de mettre les choses au point.

— Laisse tomber, Agatha. Nous sommes trop fatigués. »

Le cottage d'Agatha était redevenu impeccable. Elle joua un instant avec ses chats, puis monta prendre un bain et se coucher. Elle enfila sa chemise de nuit noire transparente parce qu'elle était fraîche et légère, mais ne put s'empêcher de se sentir bête en pensant qu'elle l'avait achetée dans l'espoir d'en faire profiter Paul.

Elle était sur le point de se mettre au lit, quand la sonnette retentit. Agatha passa dans la chambre de Charles, mais il dormait à poings fermés.

Elle soupira et descendit. Elle se rappela soudain qu'elle ne portait rien d'autre que sa chemise de nuit noire, et elle entrebâilla à peine la porte pour glisser un œil dehors.

C'était Paul Chatterton, armé d'un énorme bouquet.

« Je suis vraiment désolé, Agatha, dit-il. Je vous dois la vie. Pardonnez-moi, je vous en prie. »

Envahie par la joie, Agatha attrapa une vaste étole sur le portemanteau de l'entrée, s'en drapa et ouvrit tout grand.

« Quelles fleurs magnifiques ! s'exclama-t-elle.

— Pour une femme magnifique », répondit Paul avec un sourire et il se pencha sur elle pour l'embrasser.

Ce fut l'instant que choisit Juanita pour lui bondir sur le dos en hurlant des malédictions en espagnol. Agatha voulut battre en retraite et refermer la porte, mais Juanita, plus rapide, abandonna Paul, se faufila devant lui et vociféra : « Espèce de traînée ! » Elle arracha l'écharpe d'Agatha et considéra d'un œil furieux la chemise de nuit transparente, puis rafla le bouquet qu'elle jeta par terre et piétina de toutes ses forces.

« Un problème, chérie ? » La voix de Charles résonna derrière Agatha.

Il l'écarta et fusilla Juanita du regard. « Pourquoi faites-vous une scène à ma fiancée ? »

— Votre… ? balbutia-t-elle, les yeux ronds.

— Oui, rétorqua Charles d'un ton sans réplique. Aujourd'hui, elle a sauvé la vie de votre mari et voilà comment vous la remerciez ! »

Il tira Agatha en arrière et referma la porte au nez de Paul et de sa femme.

« Merci, murmura faiblement Agatha.

– À ta disposition, répondit-il gaiement. Ta tenue est extrêmement suggestive. Une ou deux galipettes, ça te dirait ?

– Non ! » grinça Agatha, et elle remonta l'escalier d'un pas de grenadier.

Un mois plus tard, Agatha ouvrit la porte à Bill Wong. « Charles n'est pas là ? demanda-t-il.

– Non, il y a longtemps qu'il est parti. Paul aussi. Il est retourné en Espagne et il va louer son cottage.

– Je suis désolé de ne pas être passé plus tôt. Quelque chose d'étrange vient de se produire.

– Ah ? Quoi donc ?

– Vous connaissez un professeur d'Oxford du nom de William Dalrymple ?

– Ça ne m'évoque rien…

– Agatha ! Vous m'avez expliqué qu'une de vos raisons de vous intéresser à Frampton était que vous aviez rendu visite à un historien d'Oxford !

– Ah oui, ce William Dalrymple-là !

– Il prétend avoir acquis à une vente aux enchères une caisse de livres, où il aurait trouvé le journal de sir Geoffrey Lamont.

– Dieu du Ciel ! Quelle coïncidence !

– N'est-ce pas. D'autant plus que vous le connaissiez. Écoutez, Agatha, l'enquête est close grâce à vous. Mais voilà mon avis à moi : je pense que vous et Paul aviez déniché le manuscrit, quand vous étiez à la recherche du passage secret et que vous avez dû inventer un subterfuge pour vous en débarrasser.

– Quelle imagination vous avez !

– Pas tant que vous, et de loin. Je suppose que Carol et Harry sont venus vous remercier ?

– Oui, bien sûr.

– Et vous ont-ils offert une gratification quelconque ?

– Euh, non, mais je n'ai rien demandé.

– Agatha, si jamais vous vous retrouvez à nouveau mêlée à une histoire de meurtre – ce que je ne vous souhaite pas –, vous devriez en profiter pour vous faire un peu d'argent.

– J'y réfléchirai.

– Nous nous sommes penchés sur les antécédents de Frampton. Il a été autrefois ingénieur des mines en Afrique du Sud, ce qui explique les boulettes de cyanure. Et nous avons trouvé autre chose. Pendant son séjour à Durban, il avait une petite amie très jeune, qui a disparu par la suite. On ne l'a jamais revue. La police de Durban est en train de rouvrir l'enquête. Chez lui, nous avons extrait de dessous le plancher une quantité importante de cocaïne et son journal intime. Il était dévoré par le désir de publier une grande découverte historique pour se faire un nom dans le monde universitaire.

– C'est curieux que des gens puissent devenir

complètement fous sans que personne s'en aperçoive dans leur entourage, constata Agatha. En tout cas, je suis bien contente que tout ça soit terminé.

– À propos, c'est Briar qui a lacéré le toit de la décapotable de Paul et jeté le lecteur CD dans le fossé.

– Comment savez-vous ça ?

– C'est un vieux grincheux de Hebberdon qui nous a rapporté l'information. D'après lui, vos têtes à tous les deux ne plaisaient pas à Briar et il a voulu vous intimider, histoire de vous dissuader de revenir.

– Pourquoi n'a-t-il rien dit plus tôt ?

– Je pense qu'ils avaient tous un peu peur de Briar. »

Ils continuèrent à bavarder, sans que Bill évoque de nouveau le journal, au grand soulagement d'Agatha.

Après son départ, elle pensa à Harry et Carol qui avaient bénéficié gratis de ses services.

Le téléphone sonna. C'était Roy Silver. Agatha lui détailla avec enthousiasme ses derniers exploits en insistant sans vergogne sur son génie personnel. Roy l'écouta patiemment puis annonça : « J'ai une mission, dans la communication, qui pourrait t'intéresser. »

Agatha inspira profondément.

« J'en ai fini avec la communication, je n'en ferai plus.

– Pourquoi ? »

Agatha eut un grand sourire.

« Parce que je vais ouvrir ma propre agence de détectives. »

AGATHA RAISIN ENQUÊTE
AUX ÉDITIONS ALBIN MICHEL

Composition Nord Compo
Impression CPI Bussière en mars 2019
Éditions Albin Michel
22, rue Huyghens, 75014 Paris
www.albin-michel.fr
ISBN : 978-2-226-43554-5
N° d'édition : 23052/05 – N° d'impression : 2043394
Dépôt légal : novembre 2018
Imprimé en France